DANIEL
Um homem amado no céu

Hernandes Dias Lopes

DANIEL
Um homem amado no céu

© 2005 por Hernandes Dias Lopes

1ª edição: dezembro de 2005
16ª reimpressão: fevereiro de 2022

REVISÃO
Kerigma
Regina Aranha

DIAGRAMAÇÃO
Patricia Caycedo

CAPA
Claudio Souto (layout)
Patrícia Caycedo (adaptação)

EDITOR
Aldo Menezes

COORDENADOR DE PRODUÇÃO
Mauro Terrengui

IMPRESSÃO E ACABAMENTO
Imprensa da Fé

As opiniões, as interpretações e os conceitos emitidos nesta obra são de responsabilidade do autor e não refletem necessariamente o ponto de vista da Hagnos.

Todos os direitos desta edição reservados à
EDITORA HAGNOS LTDA.
Av. Jacinto Júlio, 27
04815-160 — São Paulo, SP
Tel.: (11) 5668-5668

E-mail: hagnos@hagnos.com.br
Home page: www.hagnos.com.br

Editora associada à:

Dados Internacionais de Catalogação na Publicação (CIP)
Câmara Brasileira do Livro, SP, Brasil

Lopes, Hernandes Dias

Daniel: um homem amado no céu / Hernandes Dias Lopes — São Paulo: Hagnos, 2005. (Comentários Expositivos Hagnos)

ISBN 85-89320-84-7

1. Bíblia A.T. Daniel - Crítica e interpretação I. Título

05-7457   CDD 224.506

Índices para catálogo sistemático:
1. Daniel: livros proféticos: Bíblia: Interpretação e crítica 224.506

Dedicatória

DEDICO ESTE LIVRO ao casal Valtely de Matos Justo e Rosane Pimentel Justo, irmãos, amigos e incentivadores sempre presentes em nossa vida e ministério.

Sumário

Prefácio	9
Introdução	13
Deus disciplina Seu povo *(Daniel 1.1,2)*	17
Coragem para ser diferente *(Daniel 1.3-21)*	29
A decadência dos reinos do mundo *(Daniel 2.1-49)*	41
Prontos a morrer, não a pecar *(Daniel 3.1-30)*	51
A luta de Deus na salvação de um homem *(Daniel 4.1-37)*	59
Morreu sem estar preparado *(Daniel 5.1-31)*	69
Íntegro no meio da corrupção *(Daniel 6.1-28)*	79

Os reinos do mundo e o reino de Cristo 89
(Daniel 7.1-28)

Ascensão e queda dos reinos do mundo 101
(Daniel 8.1-27)

Se Deus já decretou, por que orar? 109
(Daniel 9.1-19)

A oração que move o céu 117
(Daniel 9.20-27)

Um intercessor amado no céu 127
(Daniel 10.1-21)

A soberania de Deus na história 135
(Daniel 11.1-45)

Uma descrição do fim do mundo 147
(Daniel 12.1-13)

Conclusão 157

Prefácio

PARA MIM FOI UMA SATISFAÇÃO muito grande ter sido convidado pelo meu colega de turma, meu colega de ministério, e vinte e dois anos depois, meu pastor na Primeira Igreja Presbiteriana de Vitoria, Rev. Hernandes Dias Lopes, para prefaciar este seu novo livro, **Daniel, um homem amado no céu.**

Mas antes de falar do livro, permita-me voltar um pouco no tempo, o nosso tempo de seminário, na década de 70, precisamente o ano de 1979, quando cursávamos o segundo ano de teologia no Seminário Presbiteriano do Sul em Campinas-SP.

Depois de um dia pesado de exames bimensais, nós vimos o seminarista

Hernandes um tanto tristonho e cabisbaixo. Isto nos preocupou e nos aventuramos a perguntar o que havia acontecido. Ele nos respondeu com um pesar e uma seriedade sem tamanho: "Eu deveria ter estudado mais, para conseguir uma melhor nota"! Vale a pena dizer que ele foi um dos poucos da nossa turma que havia tirado uma nota acima de oito, na escala de um a dez. Por este episodio pudemos concluir acerca deste piedoso servo de Deus, cuja leitura era o seu forte e o estudo, a sua paixão.

Certamente, o Rev. Hernandes dispensa qualquer tipo de apresentação, pois, ele é conhecido em todo o Brasil como varão de Deus, que tem usado a sua mente arguta e lúcida para produzir textos de inspirada sabedoria e sensibilidade para os leitores evangélicos brasileiros.

Quanto a esta nova obra do Rev. Hernandes, trata-se de um texto com estudos profundos da historia, da teologia bíblica, da hermenêutica sagrada e da escatologia. São sermões expositivos no livro de Daniel.

Em cada capítulo o autor elabora com maestria um esboço sermônico claro e compreensível. A linguagem é simples sem ser superficial. Não há complexidade nas afirmações, tampouco há banalidades.

O Rev. Hernandes explora a contextualização histórica de uma forma magistral, citando personagens, datas e lugares com precisão, comprovados pelos Atlas mais críveis que temos.

A hermenêutica usada é sóbria. Não há interpretações mirabolantes para atender a demanda de correntes escatológicas aventureiras.

Estamos diante de uma obra que pode marcar época na literatura evangélica brasileira Uma obra de fácil assimilação por parte do povo de Deus. E creio ser esta a

Prefácio

intenção do Rev. Hernandes. Além disso, ele faz na prática, uma apologia à pregação expositiva dos livros da Bíblia, como método eficaz para a nutrição e o crescimento da Igreja.

REV. JOÃO CARLOS DE PAULA MOTA

Pastor da IPB
Vitória, Dezembro/2005.

Introdução

AINDA HÁ HOMENS ÍNTEGROS?
Será que ainda existe alguém confiável? Warren Wiersbe diz que durante vinte séculos a igreja vem dizendo ao mundo que reconheça seus pecados, que se arrependa e que creia no evangelho. Hoje, no início do século 21, o mundo diz à igreja que enfrente seus próprios pecados.[1] A igreja evangélica cresce em número, mas não em vida; toma de assalto a nação, mas não produz transformação moral; tem os meios de comunicação nas mãos, mas tem pouca mensagem de Deus para pregar ao povo; parece que está mais interessada em granjear as riquezas do mundo que em oferecer ao mundo as riquezas do céu. Estamos no fragor de uma crise avassaladora, a crise de integridade.

A crise de integridade está presente na família, nas instituições públicas, na educação, no comércio, na política e na igreja. Falta integridade nos palácios, nas casas de leis, nos tribunais e até nas igrejas. Os problemas que atingem a sociedade contemporânea não são periféricos, eles afetam as questões cruciais. Não apenas os absolutos morais são questionados, mas também os critérios da própria verdade. Gene Edward Veith diz: "O que nós temos hoje não é apenas um comportamento imoral, mas uma perda de critérios morais".[2] Davi expressa essa angústia, quando pergunta: "Quando os fundamentos são destruídos, que pode fazer o justo?" (Sl 11.3).

A mensagem do livro de Daniel pode não ser popular e palatável, mas é desesperadamente necessária. Ela faz uma radiografia da própria alma, investiga os recessos do coração e lança luz nos corredores sombrios da vida. Daniel viveu num tempo em que a verdade estava sendo pisada, os valores morais estavam sendo escarnecidos e a religião tinha perdido sua integridade.

Este livro trata da soberania de Deus na história e também do cuidado de Deus por aqueles que se agradam de temer o seu nome. Deus se importa com o destino das nações e também com o seu destino. Aquele que sustenta o universo, dirige a história e governa a igreja é o mesmo que cuida de você e lhe conduz em triunfo. Ele conhece cada célula de seu corpo e cada fio de cabelo dE sua cabeça. Todos seus dias foram contados e determinados por Ele.

Daniel é um livro histórico e profético. Olha para o passado, interpreta o presente e descobre o futuro. Nada escapa ao controle de Deus, mesmo quando Sua presença ou Sua providência parecem não ser vistas na terra. As

Introdução

rédeas da história não estão nas mãos dos poderosos deste mundo, mas nas mãos dAquele que está assentado no alto e sublime trono.

Daniel tem uma mensagem ética clara para nosso tempo. Revela-nos como podemos ser íntegros na adversidade ou na prosperidade. Mostra-nos como devemos confiar em Deus não simplesmente por aquilo que Ele faz, mas por quem Ele é. A mensagem de Daniel nos ensina que em vez de uma corrida frenética atrás de milagres, deveríamos buscar avidamente a integridade. Em vez de buscar sofregamente as bênçãos de Deus, deveríamos ansiar por conhecer mais profundamente o Deus das bênçãos. Deus é mais importante que Suas dádivas. O Abençoador tem mais valor que a bênção. O Doador é mais importante que a dádiva. Aqueles que conhecem a Deus são ativos e fortes[3] e jamais se curvam diante dos homens.

Mas, também, este livro tem uma mensagem profundamente consoladora. Ele abre a janela do tempo e mostra-nos a linda paisagem de Deus governando o mundo e conduzindo Sua igreja a um final vitorioso. Não importa se aqui cruzamos vales escuros, estradas crivadas de espinhos; não importa se aqui somos despojados dos tesouros da terra e somos banidos para as prisões; não importa se o mundo inteiro nos odeia e se o diabo lança contra nós sua fúria indômita, a igreja de Deus, selada por Deus, amada por Deus é mais que vencedora. Ela, em breve, tomará posse de sua herança. Sua herança é incorruptível e imarcescível. Sua glória é eterna. Seu destino é o céu.

Em virtude dessa mensagem apocalíptica, Daniel é chamado de *O Apocalipse do Antigo Testamento*. Ao ler este livro você estará com o mapa do futuro nas máos e saberá que o final da história já está definido: é a vitória gloriosa de Cristo e de Sua igreja.

Desafio você a ler o livro de Daniel enquanto mergulha nas páginas deste livro. Meu desejo é que você saia dessa experiência mais firme na fé, mais enriquecido na graça, mais consolado pela verdade, mais ansioso pela volta do Senhor Jesus!

NOTAS DA INTRODUÇÃO

[1] Warren W. Wiersbe. A crise de integridade. Editora Vida, Miami, FL. 1989: p. 11.

[2] Gene Edward Veith, Jr. Postmodern Times. Crossway Books. Wheaton, Illinois. 1994: p. 18.

[3] Daniel 11.32.

Capítulo 1

Deus disciplina
Seu povo

(Daniel 1.1,2)

ESTUDAR O LIVRO DE DANIEL é uma experiência fascinante. Este é um dos livros mais fantásticos da Bíblia. É histórico e também profético. Descreve o passado, discerne o presente e antecipa o futuro.

O livro de Daniel é um manual singular acerca da soberania de Deus na história. Trata de temas relevantes como juventude corajosa, vida acadêmica, política externa, acordos internacionais, batalha espiritual e profecia. Aborda, outrossim, temas pessoais como santidade, oração, jejum e estudo da Palavra de Deus. O livro revela extraordinários milagres de Deus, mas, sobretudo, fala de muitos homens fiéis que passaram pelo vale da morte e pelos corredores da fama sem perderem

DANIEL – Um homem amado no céu

sua integridade, ainda que cercados por um ambiente com cheiro de enxofre.

O livro de Daniel é chamado de *O Apocalipse do Antigo Testamento*. Deus abriu as cortinas do futuro e revelou a Daniel os fatos que haveriam de suceder ao longo da história. A diferença entre livros históricos e proféticos é que estes contam a história antes dela acontecer, aqueles narram e interpretam o que já aconteceu. O livro de Daniel proclama-nos que as coisas acontecem porque Deus as determina.

Antes de entrar na mensagem específica do livro, precisamos entender alguns fatos relevantes.

Uma retrospectiva histórica

Deus chamou a Abraão. Ele constituiu uma família. A família tornou-se uma nação. Esta desceu ao Egito, onde permaneceu quatrocentos anos. Deus tirou Israel do cativeiro com mão forte e poderosa. Dez pragas vieram sobre o Egito, desbancando as divindades do maior império do mundo. Israel perambulou no deserto quarenta anos sob a liderança de Moisés. Durante sete anos conquistou a terra, sob a liderança de Josué.

Surge a *Teocracia* no período dos juízes. Esse tempo durou cerca de trezentos anos, quando Israel oscilou entre pecado, juízo, arrependimento e restauração.

Depois da Teocracia veio a *Monarquia*. Cento e vinte anos de Reino Unido sob Saul, Davi e Salomão. Com a morte de Salomão em 931 a.C., sob o governo de seu filho Roboão, o reino se dividiu em: reino do Norte e Reino do Sul.

O Reino do Norte, formado por dez tribos teve dezenove reis, com 8 dinastias e nenhum rei piedoso. Por causa de

Deus disciplina o Seu povo

sua obstinação e desobediência foram levados cativos em 722 a.C., pela Assíria, e jamais foram restaurados.

O Reino do Sul, formado pelas tribos de Judá e Benjamim, procedia da dinastia davídica. Esse reino teve vinte reis e experimentou altos e baixos, momentos de glória e tempos de calamidade, reis piedosos no trono e reis perversos e maus. Esse reino alternou momentos de volta para Deus e momentos de rebeldia.

Porque o povo abandonou a Deus e não quis ouvir sua Palavra, Deus enviou seu juízo sobre a nação. Os caldeus vieram contra eles, e Deus os entregou nas mãos de Nabucodonozor, rei da Babilônia.

A situação política de Judá

Nos anos 608 a 597 a.C., reinava em Jerusalém Jeoaquim, que havia sido empossado por Neco, faraó do Egito (2Rs 23.34). Naqueles dias, duas nações lutavam pelo domínio da região: a Assíria e o Egito. Neco, rei do Egito, subira para batalhar contra o rei da Assíria (2Rs 23.29). Josias, rei de Judá, temendo pela segurança de seu reino, achou melhor atacar o exército egípcio, mas morreu na batalha de Carquemis, em 608 a.C. Neco, que agora estava com todos os trunfos na mão, destituiu a Jeoacaz, filho de Josias, quando este havia reinado apenas três meses, impôs pesado tributo a Judá, e constituiu rei a Jeoaquim, irmão do deposto Jeoacaz (2Rs 23.31-35). O castigo de Deus foi retardado, mas não evitado (2Rs 23.26,27).

Jeoaquim foi um rei ímpio. Seu pai Josias rasgou suas roupas em sinal de contrição e arrependimento. Ao contrário, Jeoaquim rasgou e queimou o rolo da Palavra de Deus que continha as mensagens do profeta Jeremias e mandou prender o mensageiro (Jr 36.20-26).

Jeoaquim era também assassino. Porque as mensagens do profeta Urias eram contrárias aos seus interesses, ele mandou matá-lo. Urias fugiu para o Egito, mas Jeoaquim mandou seqüestrá-lo. Ele foi trazido à sua presença e morto à espada (Jr 26.20-23).

O cenário político ao redor de Judá

No ano 606 a.c., novos acontecimentos vieram modificar o cenário político-militar da conturbada região. Uma vitória de Nabucodonozor, rei da Babilônia, sobre o faraó Neco, consolidou a Babilônia como nova potência mundial em ascensão.

O Egito e a Assíria haviam disputado o predomínio, mas a luta enfraquecera a ambos. Assim, a Babilônia foi quem mais ganhou com essas brigas. Quando dois cães brigam por um osso, pode aparecer um terceiro e levá-lo com a maior facilidade.[4]

Nabucodonozor fez três incursões sobre Jerusalém: em 606 a.c., levou os nobres (dentre eles Daniel) e os vasos do templo. Em 597 a.c., noutra incursão, levou mais cativos. O rei Jeoaquim rendeu-se sem resistência. Nesse tempo, também, foi ao cativeiro o profeta Ezequiel (2Rs 24.8). Em 586 a.c., após dezoito meses de sítio, os exércitos do rei da Babilônia saquearam a cidade de Jerusalém. Arrasaram-na totalmente, destruindo também o templo. O rei Zedequias foi capturado quando tentava fugir e levado à presença de Nabucodonozor. Seus filhos foram mortos em sua presença, seus olhos foram vazados, e ele levado cativo para a Babilônia com o seu povo (2Rs 25).

Deus disciplina o Seu povo

O cenário espiritual em Judá

Depois da reforma de Josias, Judá voltou a se esquecer de Deus. Os filhos de Josias não temiam a Deus como ele. Os reis foram homens ímpios. Eles não aceitavam mais ouvir a Palavra de Deus. Alguns profetas e sacerdotes se corromperam. Os profetas de Deus foram perseguidos, presos e mortos. Em vez de haver quebrantamento, arrependimento e volta para Deus, o rei, os sacerdotes e o povo se endureceram ainda mais. Contudo o rei: "... endureceu a sua cerviz e se obstinou no seu coração, para não voltar ao Senhor, Deus de Israel" (2Cr 36.13). Diz ainda a Palavra de Deus que: "... todos os chefes dos sacerdotes e o povo aumentavam cada vez mais a sua infidelidade, seguindo todas as abominações dos gentios; e profanaram a casa do Senhor, que ele tinha santificado para si em Jerusalém" (2Cr 36.14).

O poder do império babilônico

A Babilônia tornou-se o maior império do mundo. Era senhora do universo. O reinado de Nabucodonozor abarcou um período de 43 anos.[5] Durante seu reinado, a cidade de Babilônia foi embelezada. As muralhas da cidade eram inexpugnáveis, com trinta metros de altura e dava para três carros aparelhados, com mais de 1.200 torres. Ali havia uma das sete maravilhas do mundo antigo, os jardins suspensos da Babilônia.[6]

O povo de Judá foi arrancado da cidade santa, e o templo destruído. O cerco trouxe morte e desespero. As crianças morriam de fome, os velhos eram pisados, e as jovens forçadas. Isso trouxe dor e lágrimas ao jovem profeta Jeremias. Ele chega a dizer que mais felizes

DANIEL – Um homem amado no céu

foram os que foram mortos à espada que aqueles que morreram pela fome (Lm 4.9).

O povo levado ao cativeiro se assenta, chora, curte a sua dor, dependura as harpas e sonha com uma vingança sangrenta (Sl 137.1-9).

Deus disciplina Seu povo quando este deixa de obedecer a Sua Palavra

Os filhos são disciplinados, os bastardos não.

A disciplina é um ato de amor, ainda que ministrada com lágrimas. Algumas verdades se destacam aqui.

Em primeiro lugar, a obediência traz bênção, mas a desobediência, maldição. Os tempos de prosperidade e crescimento de Israel foram durante o reinado dos homens que andaram com Deus. Sempre que um rei se desviava de Deus, o povo se corrompia e sofria amargamente. No tempo do cativeiro, o rei, os sacerdotes e o povo estavam mergulhados em profundo pecado de apostasia teológica e depravação moral, ou seja, impiedade e perversão.

Em segundo lugar, quando o povo de Deus é derrotado, a causa principal nunca é o poder do inimigo, mas seu próprio pecado. Judá não caiu, foi entregue. Nabucodonozor não prendeu o rei, Deus o entregou. Os utensílios da Casa de Deus não foram apenas saqueados, foram entregues ao inimigo pelo próprio Deus (Dn 1.1-3). Stuart Olyott diz: "A cidade conquistada, o templo saqueado, os tesouros transportados e os cativos a chorar, tudo isso foi obra de Deus, destinada a cumprir Seus propósitos".[7]

Em terceiro lugar, em vez de o rei rasgar suas vestes ao ouvir a mensagem de Deus, rasgou a Palavra de Deus, queimou-a e mandou prender o profeta. Sempre que os homens se endurecem e deixam de ouvir a Palavra de Deus,

Deus disciplina o Seu povo

o juízo de Deus vem sobre eles. A Bíblia não foi destruída pela fogueira. Ela tornou-se apenas mais combustível para o juízo que alcançou o rei impenitente.

Em quarto lugar, a certeza do cumprimento das ameaças de Deus sobre a desobediência deveria levar o povo ao arrependimento. A Palavra de Deus sempre se cumpre quando promete misericórdia ou juízo. O moinho de Deus mói devagar, mas fino. Jeoaquim pôde cortar o rolo do livro e lançá-lo à fogueira, mas não pôde evitar o juízo de Deus sobre sua própria vida.

Em quinto lugar, a hediondez e a feiúra do pecado aos olhos de Deus deveriam levar Seu povo ao arrependimento. Foi o pecado que trouxe destruição sobre Jerusalém. Foi o pecado que causou a destruição do templo. Foi o pecado que trouxe a morte de tantas famílias. Foi o pecado que gerou aquele terrível cativeiro. O pecado é maligníssimo. Só os loucos zombam dele. Horrível coisa é cair nas mãos do Deus vivo.

Deus disciplina Seu povo quando este substitui a obediência a Sua Palavra por uma fé mística

O povo de Judá deixou de confiar em Deus para confiar no templo. O povo estava seguro de que não importava como vivesse, o templo o salvaria. Eles não aprenderam a lição da arca da aliança na guerra contra os filisteus. O povo de Israel trouxe a arca para o campo de batalha pensando que Deus estaria com eles e lhes daria a vitória sob quaisquer circunstâncias.[8] Mas onde não há santidade, não há vitória. Onde há desobediência, sobrevém o juízo, e não a bênção de Deus. Os sacerdotes de Israel, os filhos de Eli, eram homens impuros, adúlteros, malignos. Eles lidavam com o sagrado, mas

DANIEL – Um homem amado no céu

eram profanos. Eles perderam o temor a Deus fazendo a obra de Deus. O resultado? A arca da aliança foi roubada, os sacerdotes foram mortos e trinta mil homens morreram. De forma semelhante, Deus mostra ao povo de Judá que a confiança no templo não era um substituto para o arrependimento.

O povo se reunia no templo e pensava que sua segurança estava em sua religiosidade, não em Deus (Jr 7.4). Orgulhava-se do templo, mas vivia na prática do pecado. Deus não tolera o pecado, ainda que camuflado de religiosidade. Deus derrama o Seu juízo sobre o pecado mesmo quando ele é praticado dentro do templo. Os vasos do templo são profanados para esvaziar a falsa confiança daqueles que deixaram de confiar na Palavra de Deus para exercer uma fé mística.

Quando os verdadeiros tesouros espirituais são perdidos em nossa vida, a perda dos tesouros materiais vem como sinal da disciplina de Deus. O povo de Deus já tinha perdido seus verdadeiros tesouros espirituais, sua confiança em Deus e sua intimidade com Deus. Quando confiamos em coisas, não em Deus, o Senhor pode tirar de nós as coisas para nos corrigir. Deus tirou de debaixo dos pés do povo o alicerce em que estava confiando. Deus alertou a igreja de Éfeso que removeria seu candeeiro, caso ela não se arrependesse (Ap 2.1-7). O mesmo Deus que usa a vara, também a quebra quando ela deixa de compreender que é apenas um instrumento usado por Ele. Nabucodonozor precisou ir comer capim com os animais porque pensou que o poder estava em suas mãos. O Senhor derrubou a Babilônia exatamente porque o rei Belsazar zombou dos vasos do templo.

Deus disciplina o Seu povo

Mesmo quando o inimigo está sendo uma vara da ira de Deus para castigar Seu povo, é Deus quem está no controle. Deus reina, quer Seu templo exista, quer não. O templo foi destruído, mas Deus continua no trono. Os tronos da terra se abalam, mas o trono de Deus permanece para sempre.

O profeta Daniel é enfático: "O Senhor lhe entregou nas mãos a Jeoaquim, rei de Judá" (Dn 1.2). Deus está no controle da história. Até os ímpios estão a serviço dos propósitos de Deus. O Senhor é soberano. Conforme já vimos, a cidade conquistada, o templo saqueado, os tesouros transportados e os cativos a chorar, tudo isso foi obra de Deus, destinada a cumprir Seus soberanos e sábios propósitos. Nabucodonozor era apenas uma vara na mão do Deus vivo, para castigar o Seu povo desobediente. Em Jeremias 25.9, Deus o chama de "meu servo". Nabucodonozor prestava seus serviços a Deus sem ter consciência disso. Ele era senhor de quase toda a terra, mas era servo de Deus. Foi colocado sobre os homens, mas estava debaixo da poderosa mão daquele que dirige o universo, segundo Seus planos e propósitos.

Quando o povo de Deus deixa de confiar em Deus para confiar no braço da carne, sua derrota se torna inevitável. Para fugir do domínio Egípcio, Judá, em vez de buscar o Senhor, fez aliança com a Babilônia. E a Babilônia a dominou, e a saqueou, trazendo-lhe grande infortúnio. Quando deixamos de confiar no Senhor para fazer alianças perigosas, concessões suspeitas, entramos numa rota de colisão e caímos no abismo. Nenhum inimigo pode ser mais perigoso para nós que os amigos que tomam o lugar de Deus em nossa vida.

Deus disciplina Seu povo para mostrar-lhe que Ele está no controle de todas as coisas

Daniel nos ensina algumas lições preciosas aqui. Em primeiro lugar, é Deus quem está comandando o invasor e disciplinando o invadido. É Deus quem levanta reis e depõe reis, levanta reinos e abate reinos. É o Senhor de toda a terra que levanta uns e abate outros. O coração do rei está em Suas mãos.

Foi Deus quem entregou o rei Jeoaquim e os vasos do templo na mão de Nabucodonozor. Os ímpios são apenas a vara da ira de Deus. Eles, porém, não sabem disso (Is 10.5-7,15). Aqueles que nada conhecem de Deus podem se transformar em instrumentos inconscientes da vontade divina. A soberania de Deus inclui não apenas atos de misericórdia, mas também de juízo (Is 45.7).

Em segundo lugar, Deus permite que aquilo em que o Seu povo confiava seja profanado, para que eles aprendam a depender dEle, e não de uma fé mística. Eles confiavam no templo e nos objetos sagrados. Deus, portanto permite que esses objetos sejam profanados, saqueados e levados para um templo pagão. Antes de Deus construir no coração deles uma fé verdadeira, Deus destrói as bases do misticismo. Os sacerdotes haviam profanado a Casa de Deus trazendo imagens de outros deuses para dentro da Casa do Senhor. Agora, Deus entrega os vasos do templo para serem levados para os templos dos outros deuses. Porque o povo de Deus profanou os vasos do templo com seu pecado, Deus profanou o povo por intermédio do Seu julgamento.

Em terceiro lugar, Deus revela que uma religiosidade externa não pode defender um povo que vive na prática do pecado. A Arca da Aliança não pôde proteger os israelitas na batalha contra os filisteus. O templo e seus vasos sagrados não puderam proteger o povo contra o cativeiro babilônico. Nossa freqüência ao templo não pode nos garantir vitória espiritual se a nossa vida pessoal está comprometida com o pecado.

Em quarto lugar, o rei ímpio demonstra mais zelo pelo seu deus do que o povo de Deus pelo Deus vivo. Nabucodonozor não levou os vasos de ouro do templo para a sua própria casa, mas para a casa de seu deus. O seu deus era um ídolo morto, impotente, mas o rei lhe honrava, tributando a ele suas vitórias. Às vezes, os ímpios são mais fiéis aos seus ídolos que o povo de Deus ao Senhor dos céus e da terra.

À luz do texto exposto, Daniel nos ensina algumas lições oportunas e práticas. A primeira lição é que o cálice da ira de Deus um dia transbordará. A paciência de Deus tem limites. O mesmo Deus que adverte, aconselha, exorta, chama, clama e insta é o mesmo que usa a vara de Sua ira para disciplinar. Quem não ouve Sua suave voz terá de ouvir o rugido do leão.

A segunda lição é que o pecado não compensa. Aqueles que vivem na prática do pecado um dia serão apanhados. Ninguém pode escapar. Louco é aquele que zomba do pecado.

A terceira lição é que uma religião apenas de rótulo não pode nos ajudar no dia da calamidade. O povo de Deus confiava no templo, não em Deus. Eles eram religiosos, mas não levavam a sério a Palavra de Deus e, por isso, foram levados cativos.

A quarta lição é que o amor de Deus é visto até mesmo na Sua disciplina. Deus ama tanto Seu povo que usa o chicote para lhe trazer ao arrependimento. O povo

DANIEL – Um homem amado no céu

só conseguiu libertar-se da idolatria no cativeiro. Do cativeiro babilônico, Judá voltou depois de setenta anos completamente livre da idolatria.

A última lição é que Deus é soberano e de Seu trono dirige até mesmo as nações ímpias para que elas cumpram Seus propósitos supremos. É Deus quem traz os caldeus. É Deus quem entrega o rei Jeoaquim e os vasos do templo. É a providente mão de Deus que está por trás do castigo de Seu povo. O poeta inglês William Cowper afirmou corretamente que "por trás de uma providência carrancuda, esconde-se uma face sorridente".

NOTAS DO CAPÍTULO I

[4] Osvaldo Litz. *A estátua e a pedra*. JUERP. Rio de Janeiro. 1985: p. 14.

[5] Evis L. Carballosa. *Daniel y el reino mesiánico*. Publicaciones Portavoz Evangélico. Grand Rapids, Michigan. 1979: p. 37

[6] Evis L. Carballosa. *Daniel y el reino mesiánico*. p. 37.

[7] Stuart Olyott. Ouse ser firme. *O livro de Daniel*. Editora Fiel. São José dos Campos, SP. 1996: p. 14.

[8] 1 Samuel 4.

Capítulo 2

Coragem para ser diferente

(Daniel 1.3-21)

Não era fácil ser jovem nos dias de Daniel. A nação inteira estava vivendo em flagrante desobediência a Deus. Os tempos de fervor espiritual haviam se acabado com a reforma religiosa do rei Josias. Deus, portanto, por intermédio de Jeremias e Habacuque alerta o povo que um tempo de calamidade aconteceria. A poderosa Babilônia invadiria Jerusalém e levaria o povo para o cativeiro.

Em 606 a.c., Nabucodonozor cercou Jerusalém e saqueou o templo e levou todos os seus tesouros para a Babilônia. Levou também as pessoas ricas, jovens e bem-dotadas, deixando os demais para trás. Estabeleceu Zedequias no governo, mas este se rebelou contra a Babilônia. Então, Nabucodonozor cercou a cidade até que

DANIEL – Um homem amado no céu

a fome vencesse o povo dentro de suas muralhas. Depois, invadiu a cidade, incendiou o templo, quebrou os muros, forçou as jovens, matou os jovens e levou o povo para o cativeiro.

A Babilônia era o maior império do mundo. Era a senhora do universo. Nesse contexto de apostasia, mundanismo, infidelidade, desobediência, guerra e ameaça de uma invasão internacional é que Daniel cresceu. Foi nesse tempo dramático que ele viveu sua infância e adolescência. Seria ele produto do meio? Seria ele um a mais a embrenhar-se nas sombras espessas do pecado? Como ser um jovem fiel a Deus num tempo assim?

Daniel, um jovem fiel a Deus apesar de um passado de dor

A vida de Daniel é um farol a ensinar-nos o caminho certo no meio da escuridão do relativismo. Seu testemunho rompeu a barreira do tempo e ainda encoraja homens e mulheres em todo o mundo a viver com integridade. Observemos alguns aspectos de sua vida:

Em primeiro lugar, no meio de uma geração que se corrompia, Daniel possuía valores absolutos. Ele era ainda um adolescente, mas conhecia a Deus. Era ainda jovem, mas sabia o que era certo e errado. Estava no alvorecer da vida, mas não se misturava com aqueles que se entregavam ao relativismo moral. Era um jovem que tinha coragem de ser diferente.

Daniel vivia no meio de uma geração que estava colhendo o que seus pais haviam semeado (Dn 1.2). Jerusalém ficara intacta na primeira invasão, mas o templo fora saqueado. Isso não foi por acidente. Por muito tempo, os judeus haviam confiado no templo, e não no Senhor

(Jr 7.7). Achavam que enquanto tivessem o templo estariam a salvo. Mas o templo não os salvou. Uma religião sem vida não nos salvará. Confiar no templo não era um substituto para o arrependimento. Deus reina, quer Seu templo exista, quer não. A invasão da Babilônia, o saque do templo, os tesouros transportados foram obra de Deus. O povo estava sendo derrotado, mas Deus era vitorioso.

Em segundo lugar, no meio de tragédias terríveis, Daniel não deixa seu coração se azedar. Ele teve muitas perdas. Perdeu sua nacionalidade e sua bandeira. Foi arrancado de sua Pátria e de seu lar. Perdeu sua família, foi arrancado dos braços de seus pais, de seus amigos, de seus vizinhos. Ele foi agredido, violentado em seus direitos mais sagrados.

Daniel perdeu sua liberdade. Ele saiu de casa não como estudante, mas como escravo. Ele não é dono de sua vida nem de sua agenda. Ele está debaixo de um jugo. Sua cidade foi cercada. A fome desesperadora tomou conta de seu povo até o ponto das mães comerem seus próprios filhos. Por fim, seu povo foi levado em bandos para a terra da servidão.

Daniel perdeu sua religião. Seu país foi invadido, sua cidade arrasada e o templo do Senhor derrubado. Seu povo estava debaixo de opróbrio. Daniel estava agora longe de casa, em um país estranho, com uma língua estranha, sem a Palavra de Deus nas mãos, sem o templo, sem sacerdotes e sem os rituais do culto.

Daniel, a despeito de tantas perdas, porém, não deixa seu coração ser envenenado pela mágoa. Em vez de buscar a vingança dos inimigos, procurou ser instrumento de Deus na vida deles. Daniel não é um jovem influenciado, mas um influenciador. As pessoas que foram levadas cativas

DANIEL – Um homem amado no céu

entregaram-se à depressão, nostalgia, choro, desânimo, amargura e ódio (Sl 137). Daniel escolheu ser uma luz, uma testemunha, um jovem fiel a Deus em terra estranha. Não é o que as pessoas nos fazem que importa, mas como reagimos a isso.

No meio de uma cultura sem Deus e sem absolutos morais, Daniel não se corrompeu. Ele foi levado para a Babilônia, uma terra eivada de idolatria. Foi levado para esse panteão de divindades pagãs, para a capital mundial da astrologia e da feitiçaria. Daniel vai como escravo para uma terra que não conhecia a Deus, onde não havia a Palavra de Deus, nem o temor de Deus, onde o pecado campeava solto. Mas, mesmo na cidade das liberdades sem fronteiras, do pecado atraente e fácil, Daniel mantém-se íntegro, fiel e puro diante de Deus e dos homens.

Daniel, um jovem fiel a Deus apesar de um presente de oportunidades e de grandes riscos

Viver exige discernimento. Os tolos naufragam, quer pelas oportunidades quer pelos riscos. Aquele adolescente arrancado do seio de sua família como escravo, teve oportunidades e riscos. A vida ofereceu-lhe muitas propostas sedutoras. Vejamos quais foram suas oportunidades:

Em primeiro lugar, ele foi escolhido para estudar na Universidade da Babilônia. Nabucodonozor era estadista e estrategista. Ao mesmo tempo em que seus exércitos eram devastadores, queimando casas, cidades, demolindo palácios e templos; ao mesmo tempo em que assassinavam, saqueavam e carregavam manadas para a Babilônia; também cria uma universidade para formar jovens cativos que pudessem amar a Babilônia e se tornar divulgadores de sua cultura. O método de Nabucodonozor era deportar a nobreza de cada nação conquistada e integrá-la no serviço público da Babilônia. Eles mesmos governariam sobre os demais súditos conquistados. Assim, aqueles que se rebelassem teriam de fazê-lo contra seu próprio povo, talvez contra seus próprios filhos.

O vestibular era composto de três exames: 1) Qualidades sociais: linhagem real e dos nobres; 2) Qualidades físicas e morais: jovens sem nenhum defeito e de boa aparência; 3) Qualidades intelectuais: instruídos em toda sabedoria, doutos em ciência, versados no conhecimento e competentes para assistir no palácio. Os aprovados deveriam andar pelos corredores do poder.

Em segundo lugar, ele recebeu promessa de emprego e de sucesso profissional. Daniel 1.5 nos informa que o curso da Universidade de Babilônia era intensivo, pois durava apenas três anos. Depois disso, eles assistiriam no palácio, com garantia de emprego no primeiro escalão do governo mais poderoso do mundo. Era uma chance de ouro. Era tudo que um jovem queria na vida. Era tudo que um pai podia sonhar para seus filhos. Mas, cuidado! O que adianta você ganhar o mundo inteiro e perder sua alma? O que adianta você ficar rico, vendendo a sua alma ao diabo? O que adianta você ter sucesso, mas perder sua fé? O que adianta você ser famoso, mas não ter uma vida limpa? Muitas pessoas mentem, corrompem-se, roubam, matam e morrem para alcançar o sucesso. Muitos destroem a honra e a família para chegar ao topo da pirâmide social. Mas esse sucesso é pura perda. Ele tem sabor de derrota. Ele é o mais consumado fracasso.

É o discernimento que nos dá percepção para saber quando uma aparente oportunidade esconde atrás de sua sedução um grande risco. Daniel viu com clareza alguns riscos:

O maior de todos os perigos era o risco da aculturação. Daniel teve de se acautelar acerca de quatro perigos. O primeiro perigo foram as iguarias do mundo. Os jovens, além de ter a melhor universidade do mundo de graça, ainda teriam comida de graça, e da melhor qualidade. Eles só teriam de pensar em seus estudos. Deveriam até mesmo esquecer que eram judeus, a fim de tornarem-se babilônios. Deveriam esquecer que eram servos de Deus, e tornarem-se servos de um rei terrestre. Mas as iguarias da mesa do rei eram comidas sacrificadas aos ídolos. Cada refeição, no palácio real de Babilônia, se iniciava com um ato de adoração pagã. Comer aqueles alimentos era tornar-se participante de um culto pagão. Há um ditado que diz que todas as maçãs do diabo são bonitas, mas elas têm bicho. Os banquetes do mundo são atraentes, mas o mundo jaz no maligno. Ser amigo do mundo é ser inimigo de Deus. Aquele que ama o mundo, o amor do Pai não está nele. Não entre na fôrma do mundo. Fuja dos banquetes que o mundo lhe oferece! Os prazeres imediatos do pecado produzem tormentos eternos. As alegrias que o pecado oferece, convertem-se em choro e ranger de dentes. Fuja das boates, das noitadas, dos lugares que podem ser um laço para sua vida.

Muitos diriam hoje: "Daniel, você está sendo muito radical, muito puritano, muito intransigente. Por que criar um caso com uma coisa tão pequena como comer alimento oferecido aos ídolos? Por que não colocar esses escrúpulos de lado? Pense na influência que você poderá exercer, encontrando-se no serviço público da Babilônia. Você vai salgar aquele ambiente. Você vai ser uma luz lá no palácio. Deixe de lado esse radicalismo seu". Mas Daniel prefere a prisão ou mesmo a morte à infidelidade. Daniel disse: "Prefiro a morte do que pecar, ainda que um pouco".

O segundo perigo foi a mudança dos valores! Seus nomes foram trocados. Com isso a Babilônia queria que eles esquecessem o passado. A Babilônia quer remover os marcos e arrancar as raízes deles. Entre os hebreus, o nome era resultado de uma experiência com Deus. Todos os quatro jovens judeus tinham nomes ligados a Deus. Daniel significa: Deus é meu juiz. Deram-lhe o nome de Beltessazar, cujo significado é: bel proteja o rei. Hananias significa: Jeová é misericordioso. Passou a ser chamado de Sadraque, que significa: iluminado pela deusa do sol. Misael significa: quem é como Deus? Deram-lhe o nome de Mesaque, que significa: quem é como Vênus? Azarias significa: Jeová ajuda. Trocaram-lhe o nome para Abednego, cujo significado é: servo de Nego.[9] Assim, seus nomes foram trocados e vinculados às divindades pagãs de Bel, Marduque, Vênus e Nego. Os caldeus queriam varrer o nome de Deus do coração de Daniel. A universidade da Babilônia queria tirar a convicção de Deus da mente de Daniel e de seus amigos e plantar neles novas convicções, novas crenças, novos valores, por isso mudaram seus nomes. Muitos jovens têm caído nessa teia do mundo. Muitos se envolvem de tal maneira que perdem o referencial, mudam os marcos, abandonam suas convicções, transigem com os absolutos e naufragam na fé.

A Babilônia mudou os nomes deles, porém, não o coração. Eles discerniram que a maior batalha que estavam

DANIEL – Um homem amado no céu

travando era a batalha da mente. Não era uma luta para a preservação da vida, mas uma guerra para a firmeza na fé. Daniel e seus amigos não permitiram que o ambiente, as circunstâncias e as pressões externas ditassem sua conduta. Eles se firmaram na verdade, batalharam pela defesa da fé e mantiveram a consciência pura.

O terceiro perigo foram as ofertas vantajosas! Muitos judeus se dispuseram a aceitar as ofertas generosas da Babilônia. Pensaram: é melhor esquecer Sião. É melhor esquecer os absolutos da Palavra de Deus. Isso não tem nada a ver. A Bíblia já não serve mais para nós. Agora estamos num estágio mais avançado: estamos estudando as ciências. Além do mais, a Babilônia oferecia riquezas, prazeres e Jerusalém era muito repressora. A lei de Deus, pensavam, é muito rígida, tem muitos preceitos. E assim, muitos se libertaram de seus escrúpulos e se esqueceram de Deus e de Sua Palavra. Para eles, tudo havia se tornado relativo. Os tempos estavam mudando depressa e eles precisavam se adaptar às mudanças.

O quarto perigo estava escondido atrás das vantagens do mundo. Daniel e seus companheiros eram jovens comprometidos com a verdade. Os caldeus mudaram seus nomes, mas não seus corações. Eles compreenderam que a babilonização era uma porta aberta para a apostasia. Sentiram que o paternalismo da Babilônia era pior que a espada da Babilônia. A guerra das idéias, a lavagem cerebral, a relativização da moral, a filosofia de que "nada tem nada a ver" é procedente do maligno. Daniel não negociou seus valores. Ele não se corrompeu. Não se mundanizou. Ele teve coragem para ser diferente mesmo quando foi pressionado a se contaminar, mesmo quando não era vigiado e mesmo quando estava correndo risco de vida.

Daniel estava no mundo, mas não era do mundo. Deus não livrou Daniel do perigo, mas lhe deu livramento no perigo. Ele não satanizou a cultura, dizendo que tudo era do diabo, mas ele percorreu os corredores da universidade e do palácio sem se corromper. Daniel e seus amigos não anatematizaram a vida pública como pecado. Contudo, jamais se corromperam. Eles tinham consciência que pertenciam e serviam a outro Reino. Mesmo cercados por uma babel de outras vozes, sempre se orientaram pela voz de Deus. Resistiram sempre aos interesses da Babilônia, quando esses se chocavam com os interesses do Reino de Deus.

Daniel demonstrou refinada perspicácia e sabedoria em sua determinação. Em primeiro lugar, ele foi corajoso em sua decisão. Ele podia perder a vida, o emprego e, a oportunidade da sua vida. Ele podia pensar: *vou fazer só essa concessão. Deus sabe que meu coração é dEle. Vou ceder só nesse ponto.* Mas não, Daniel era um homem de absolutos. Ele não transigia com o pecado. Seu grande projeto de vida era honrar a Deus. Muitos jovens hoje estão caídos, confusos, com o coração gelado, com a vida contaminada, porque cederam, transigiram e não resolveram desde o início viver uma vida pura. O mundo está mudando todos os dias. Os valores morais estão sendo tripudiados. Vivemos numa Babilônia de permissividades, num reino de hedonismo, numa terra da infidelidade, no cativeiro do pecado. Para a geração contemporânea não existem mais absolutos, tudo é relativo; nada mais é pecado, tudo é normal; nada tem nada a ver.

Em segundo lugar, Daniel foi sábio em sua decisão. Ele teve tato para lidar com as dificuldades. O versículo 8 nos informa que ele resolveu e pediu. Ele foi firme e gentil. Ele foi firme e perseverante. Ele não disse: "Eu não como carne". Mas, embora seja ordem do Rei. "Azar do rei". Se tivesse feito isso, certamente seria um jovem morto e, se morresse, não seria por fidelidade, mas por tolice. Daniel era sábio, discreto, gentil e sensível. Mas também firme.[10]

Em terceiro lugar, Daniel foi coerente durante todas as suas decisões. Porque disse *não* nas provas mais simples, pôde dizer *não* nas provas mais difíceis. Mais tarde, enfrentou a cova dos leões com a mesma firmeza. Meu caro leitor, não transija. Não venda sua consciência. Seja como Daniel e seus amigos. Nosso mundo está mudando todo dia. As pessoas dizem para você: "Que nada! Os tempos mudaram, sexo antes do casamento não tem problema. Dançar nas boates não tem problema. Ficar com um rapaz ou moça hoje e com outro ou outra amanhã não tem problema. Visitar os *sites* pornográficos na Internet não tem problema. Jesus disse: "Se o teu olho direito te faz tropeçar, arranca-o e lança-o de ti..." (Mt 5.29).

Daniel era radical em sua posição. Não estava aberto a mudanças, se essas mudanças interferissem em sua fidelidade a Deus. Fidelidade a Deus era inegociável para ele. Mas hoje muitos jovens estão se contaminando. Há namoros permissivos, há roupas indecorosas, há pessoas viciadas em pornografia, há moços usando adornos peculiares às mulheres, há pessoas agredindo o próprio corpo com tatuagens e piercings. Muitos jovens entram na onda, e se conformam com o mundo, e são tragados por ele.

Coragem para ser diferente

Daniel, um jovem fiel apesar de um futuro de glória

Quatro pontos nos chamam a atenção na vida de Daniel a respeito de seu futuro de glória. Em primeiro lugar, ele ganhou a confiança do chefe dos eunucos. Aspenaz ficou com medo e tentou demovê-lo de seu propósito, mas Daniel argumentou, confiou em Deus e o Senhor o honrou. Ele e seus amigos tornaram-se mais robustos que os outros estudantes. Jovem crente precisa se destacar. Ele deve ser cabeça, não cauda. Servir a Deus nos põe na frente! Em segundo lugar, ele foi aprovado com grande honra. Finalmente, o curso de três anos terminou. Era hora dos exames finais. Como nas universidades britânicas, em dias passados, esses exames não eram escritos, mas orais. O próprio rei os examinou. E Daniel e seus amigos foram examinados, aprovados e considerados dez vezes mais sábios que os outros estudantes. Como resultado, cada um dos quatro foi colocado em um alto cargo. Porque foram fiéis a Deus, o Senhor os honrou e os fez dez vezes mais cultos e mais eminentes que os mais sábios da Babilônia. Eles estavam no palácio do rei da Babilônia, servindo ao Rei Eterno, o Deus Todo-Poderoso.

Em terceiro lugar, Daniel passou a servir diante do rei. Daniel tornou-se Primeiro Ministro da Babilônia. Figurou entre os maiores do grande império. Tornou-se homem de projeção. Foi uma bênção durante toda sua vida. Muitos crentes anseiam por posições mais altas, mas para isso negociam valores, vendem a consciência, se corrompem e envergonham o nome de Deus. Se não vivermos agora honrando a Deus nas pequenas coisas, jamais o honraremos quando chegarmos às altas posições.

Em quarto lugar, Daniel foi maior que a própria Babilônia. A Babilônia caiu, mas Daniel continuou em pé. A Babilônia perdeu seu poder, mas Daniel continuou sendo uma bênção para o outro império. O versículo 21 mostra o triunfo de Daniel. Ele continuou fiel até o primeiro ano de Ciro, o rei persa. Ele atravessou setenta anos de cativeiro com uma vida limpa diante de Deus e dos homens. Ele começou bem e terminou bem.

Hoje muitos começam bem e terminam mal. São crentes consagrados até enfrentarem a primeira prova, mas depois negociam seus valores, vendem a consciência e se perdem no cipoal de suas paixões. Muitos nessa corrida ao sucesso deixam sua devoção a Jesus, deixam a igreja e se contaminam com o mundo.

A Babilônia passou, e um novo império surgiu, mas Daniel continuou servindo a Deus com integridade. Reis subiram ao trono e desceram do trono, mas Daniel continuou como um homem incontaminado.

Você tem se guardado incontaminado do mundo? Você é um influenciador? Você faz diferença no meio em que vive? As pessoas são despertadas a conhecer a Deus por intermédio de seu testemunho?

NOTAS DO CAPÍTULO 2

[9] Osvaldo Litz. A estátua e a pedra, p. 22,23.
[10] Stuart Olyott. *Ouse ser firme. O livro de Daniel,* p. 19.

Capítulo 3

A decadência dos reinos do mundo

(Daniel 2.1-49)

No capítulo dois do livro de Daniel, Deus revela, de maneira maravilhosa, Sua soberania sobre os governos do mundo, a destruição dos megalomaníacos impérios e o estabelecimento vitorioso do Reino de Cristo.

A Babilônia é a dona do mundo. Nabucodonozor é o rei de reis. As glórias da Babilônia atingem seu apogeu. De repente, o sonho do rei tira não apenas seu sono, mas também a paz de todos os sábios. Os privilégios dos sábios transformam-se em iminente ameaça.

Podemos sintetizar esse texto em sete pontos básicos:

O sonho perturbador do rei (v.1)

Nabucodonozor teve um sonho que lhe tirou o sono. Seu sonho perturbou

DANIEL – Um homem amado no céu

seu espírito (v.1). A palavra "perturbou" significa golpear.[11] O rei foi golpeado e encheu-se de ansiedade, insegurança e medo.

Seu sonho revelou a fragilidade dos poderosos. Aparentemente nada nem ninguém podia ameaçar a fortaleza do reino de Nabucodonozor. Ele tinha poder, riqueza e fama. Sua palavra era lei. Suas ordens não podiam ser questionadas. Mas, agora o rei foi abalado. Sentiu que alguém maior que ele o ameaçava. A segurança de seu império estava ameaçada por algo fora de seu controle, algo invisível e além deste mundo. Ficou inseguro, inquieto e perturbado.

A impotência dos sábios (v.10,11)

A sabedoria dos sábios deste mundo tem limites. O rei mandou chamar os sábios da Babilônia, mas eles não puderam contar o sonho nem dar sua interpretação ao rei. A sabedoria deles era limitada. Quem eram esses sábios? Em primeiro lugar, os magos. Eles eram possuidores de conhecimentos dos mistérios sagrados e das ciências ocultas. Em segundo lugar, os encantadores. Eles eram astrólogos, ou seja, aqueles que se dedicavam a contemplar o céu e buscar sinais nas estrelas com o propósito de predizer o futuro. Em terceiro lugar, os feiticeiros. Eram aqueles que usavam a magia, invocando o nome de espíritos malignos. Finalmente, os caldeus, uma casta sacerdotal de homens sábios.[12]

A resposta desses sábios acerca da incapacidade deles era baseada em vários argumentos, conforme os versículos 10 e 11: 1) Não há mortal sobre a terra que possa revelar o que o rei exige; 2) Era um assunto sem precedentes na história da humanidade; 3) O pedido do rei era extremamente difícil; 4) A solução do problema era supra-humano.

A decadência dos reinos do mundo

A teologia dos sábios deste mundo é deficiente (v. 11). Eles reconhecem que há uma divindade acima e além, mas não têm uma visão do Deus pessoal, presente entre Seu povo (Is 57.15).

A prepotência dos poderosos (v.5,8,12,13)

Nabucodonozor revela sua prepotência até mesmo na hora da perturbação de espírito. Ele demonstrou isso de três maneiras. Primeiro, exigindo dos homens o que eles não poderiam oferecer (v. 5,10,11). Há coisas que são impossíveis aos homens. Exigir deles isso é um ato de prepotência. Os magos da Babilônia tinham limitações.

Segundo, oferecendo vantagens financeiras e promoções (v. 6). O rei tem poder e riqueza nas mãos. Com essas duas armas deseja o mundo aos seus pés.

Terceiro, determinando o extermínio dos sábios para satisfazer um capricho pessoal (v. 5,8,9,12,13). O rei não respeitou a limitação dos sábios. Acusou-os de esperteza (v. 8), conspiração (v. 9) e determinou o extermínio sumário deles (v. 12). Reinhold Niebuhr diz que esse sentimento de insegurança, bem como esse complexo de ansiedade, é a causa da tirania política moderna. Quanto mais alto um homem sobe, mais medo ele tem de perder o poder, mais inseguro se torna. Isso prova que o poder, a riqueza e a fama não dão segurança ao homem nem satisfazem sua alma.

A intervenção de Daniel (v. 14-18)

Daniel toma três atitudes importantes na solução daquele intrincado problema. Em primeiro lugar, ele vai ao rei e pede tempo (v.16). Daniel tem iniciativa e ousadia. Ele não foge, não se esconde, nem tenta enrolar o rei. Ele

DANIEL – Um homem amado no céu

reconhece sua limitação, mas demonstra confiança na intervenção divina.

Em segundo lugar, Daniel vai aos amigos e pede oração (v. 17). Quando, para o mundo, só resta o desespero, para os filhos de Deus ainda há o recurso da oração. Os magos suplicaram ao rei da Babilônia que lhes contasse o sonho, mas Daniel fez o mesmo pedido ao Rei dos reis, o Senhor Deus Todo-Poderoso. Daniel compreendeu a importância de termos um grupo de oração. Ele sabia que quando os crentes se unem em oração, isto agrada a Deus, e a vitória é certa. Precisamos buscar ajuda nas pessoas certas na hora da crise.

Em terceiro lugar, Daniel vai a Deus e pede misericórdia (v. 18). Ele ora ao Deus do céu. O nosso Deus está acima do céu, isto é, acima do sol, da lua e das estrelas que os babilônios adoravam. Enquanto os caldeus adoravam os astros, Daniel adorava o Deus criador dos astros. Ele revela sua fé no Deus vivo. Daniel chega a Deus pedindo misericórdia. A oração é um ato de humildade, não de arrogância.

A gratidão de Daniel (v. 19-23)

Daniel exalta a Deus por vários motivos especiais. Em primeiro lugar, ele bendiz a Deus, porque Ele conjuga poder e sabedoria (v. 20). Nabucodonozor tinha poder, mas não sabedoria. Sabedoria é a capacidade de tomar a decisão certa, e poder, a capacidade de torná-la efetiva.

Em segundo lugar, Daniel bendiz a Deus porque Ele é o Senhor do tempo (v. 21). O Deus criador é o Deus da providência. Ele muda o tempo e as estações do ano. Ele faz vir a chuva e o sol, o dia e a noite.

A decadência dos reinos do mundo

Em terceiro lugar, Daniel bendiz a Deus porque Ele é o Senhor da história (v. 21). As rédeas da história estão nas mãos de Deus, não nas mãos dos poderosos deste mundo. Daniel disse para Nabucodonozor que seu sucesso político foi ação de Deus e não mérito próprio (v. 37,38). Deus é quem remove reis e os estabelece. Ele levanta reinos e abate reinos. A história está nas mãos de Deus.

Finalmente, Daniel bendiz a Deus porque Ele é o Senhor dos mistérios (v. 22). Deus sabe tudo e tudo vê. Tudo o que o homem tem e sabe vem de Deus. Daniel, com essa postura, está desbancando o fatalismo da religião babilônica.

A interpretação de Daniel (v. 25-45)

É importante ressaltar que na interpretação do sonho de Nabuconodozor, Daniel exalta a Deus, não a si mesmo (v. 27,28,30). Ele não chama a atenção para si como fez Arioque (v. 25). Ele coloca os holofotes em Deus. Ele acentua o contraste entre a impotência humana e a onipotência divina. Ele destaca a supremacia do Deus vivo sobre as divindades da Babilônia.

Daniel também revela que o sonho do rei é profético, não histórico (v. 28,29). O sonho do rei diz respeito ao plano de Deus na história da humanidade. Por intermédio desse sonho do rei, Deus abre as cortinas da história e revela que o futuro está em Suas próprias mãos.

Daniel descreve o sonho da estátua como um contraste entre os reinos do mundo e o Reino de Cristo (v.31-36). A estátua visualizada em sonho por Nabucodonozor tinha quatro destaques:

Em primeiro lugar, ele fala acerca da cabeça de ouro (v. 32,36-38b). Nabucodonozor foi chamado de rei de

DANIEL – Um homem amado no céu

reis (v. 37). Ele era a cabeça de ouro. Ele representava o império. Sua palavra era lei. Ele governou durante 41 anos. Transformou a Babilônia no maior império e na maior cidade do mundo. Alargou as fronteiras de seu domínio. Mas, a riqueza e o poder da Babilônia foram dados por Deus (v. 37,38). A Babilônia deu ao mundo a organização da LEGISLAÇÃO (Código de Hamurabi).

Em segundo lugar, Daniel interpreta o peito e os braços de prata (v. 32,39). O peito e os braços de prata simbolizam o império medo-persa. Como a figura já indica, os dois braços ligados pelo peito representam um império que seria formado pela união de dois povos: os medos e os persas. Nesse reino, o rei não estava acima da lei, mas sob ela. A lei era maior que o rei. O rei tinha menos autoridade. O império medo-persa deu ao mundo o aperfeiçoamento do SISTEMA TRIBUTÁRIO.

Em terceiro lugar, Daniel fala sobre o ventre e os quadris de bronze (v. 32,39), que representam o império grego estabelecido por Alexandre Magno, em 333 a.C. Alexandre Magno dominou o mundo inteiro, mas esse reino desintegrou-se com sua morte. O império grego deu ao mundo a CULTURA, A LÍNGUA E OS JOGOS.

Em quarto lugar, Daniel interpreta o significado das pernas de ferro e dos pés de ferro e barro (v. 33,40-43). Esse é o império mais detalhado. Cabe-lhe mais importância que os outros. Trata-se do império romano. Era o mais forte dos quatro. Mas, internamente, seu valor era inferior aos seus predecessores, como o ferro é inferior aos outros metais. Ao mesmo tempo, o império romano era forte como o ferro (exército, leis e organização política), mas

A decadência dos reinos do mundo

débil como o barro (baixo nível moral). O império romano deu ao mundo o aperfeiçoamento da LEGISLAÇÃO (o Direito Romano).

Finalmente, Daniel explica a respeito da pedra que esmiúça a estátua (v. 34,35,44,45). Qual é o significado da pedra? Ela representa o Reino de Cristo que vem, e destrói todos os outros reinos e enche toda a terra. O Reino de Cristo já veio em Cristo. Ele está entre nós e dentro de nós. Mas, na segunda vinda de Cristo, os reinos deste mundo serão destruídos, e o Reino de Cristo será estabelecido totalmente. Então, todo joelho se dobrará. Cristo colocará todos Seus inimigos debaixo de Seus pés.

Em sua interpretação, Daniel revela, ainda, que os reinos do mundo são um misto de esplendor e de terror (v. 31). Os reinos do mundo estão marcados por esplendor e terror. Ao mesmo tempo em que eles granjeiam riquezas e poder, eles destroem, matam e saqueiam os mais fracos. Não é diferente hoje. As nações mais ricas do mundo, sugam como sanguessugas, o sangue das nações pobres.

Mais do que isso, nossas conquistas também são construídas com grandes riscos para nós mesmos. Conquistamos o espaço, mas construímos bombas mortais. Inventamos o avião, mas o usamos para jogar bombas. Inventamos indústrias maravilhosas, mas poluímos o ambiente. Além disso, ainda usamos o poder e a riqueza para oprimir os fracos.

Fato digno de nota é que os reinos do mundo são descritos de cima para baixo. Isso revela a progressiva decadência dos reinos deste mundo; começam no ouro e terminam no barro. Só o Reino de Cristo é invencível e dominará para sempre.

DANIEL – Um homem amado no céu

Daniel revela, finalmente, a supremacia do Reino de Cristo sobre os reinos do mundo (v. 44,45). Os reinos do mundo, ao mesmo tempo em que são fortes como o ferro, são vulneráveis como o barro. O Reino de Cristo, entretanto, é indestrutível (v. 44a), eterno (v. 44b) e vitorioso (v. 44c).

Implicações práticas

Stuart Olyott diz que o capítulo dois de Daniel enseja-nos algumas implicações de grande importância para a vida cristã:[13] em primeiro lugar, atesta-nos a infalibilidade da Palavra de Deus. Tudo o que Deus falou, cumpriu-se literalmente. O império da Babilônia foi sucedido por três outros impérios. Foi nos dias do império romano que um outro Reino foi estabelecido, um Reino que está sempre crescendo e nunca terminará. Foi nos dias do império romano que uma pedra, sem origem, veio a este mundo, o Reino de Cristo, e esse Reino durará para sempre.

Em segundo lugar, aprendemos por intermédio desse texto que a história está nas mãos de Deus. Ele não apenas prevê o futuro, Ele tem o controle do futuro. Ninguém pode frustrar Seus desígnios. Seu plano é eterno. Ele está com as rédeas da história nas mãos e Ele a levará a um fim glorioso, a vitória triunfante do Reino de Cristo sobre os reinos do mundo.

Em terceiro lugar, depreendemos desse sonho de Nabucodonozor que o Reino de Cristo triunfará. Os poderosos deste mundo, os reis e os déspotas, não têm as rédeas nas mãos. Os grandes impérios já caíram. Outros ainda cairão. Só o Reino de Cristo triunfará. Não

A decadência dos reinos do mundo

precisamos ter medo quanto ao futuro da causa de Cristo. Ele já determinou o fim: sua vitória gloriosa!

NOTAS DO CAPÍTULO 3

[11] Evis Carballosa. *Daniel y el reino mesiánico*, p. 59.

[12] Evis Carballosa. *Daniel y el reino mesiánico*, p. 60.

[13] Stuart Olyott. *Ouse ser firme. O livro de Daniel*, p. 32-36.

Capítulo 4

Prontos a morrer, não a pecar

(Daniel 3.1-30)

O MAIS IMPORTANTE NÃO É VIVER, mas ser fiel a Deus. Pessoas comprometidas com Deus resistem o pecado até o sangue e estão prontas a morrer, não a pecar.

Em Daniel 3, algumas verdades preliminares nos chamam a atenção:

Em primeiro lugar, tome cuidado, pois, a sede pelo poder pode tornar você cego e louco. Nabucodonozor era um homem embriagado pelo poder. Ficou cego pelo fulgor de sua própria glória. Ele não se contentou em ser rei de reis, em ser o maior rei da terra, mas quis ser adorado como deus.

Em segundo lugar, acautele-se com a síndrome de dono do mundo. Nabucodonozor não se contentou em ser a cabeça de ouro (capítulo 2). Agora

DANIEL – Um homem amado no céu

constrói uma estátua toda de ouro, de trinta metros de altura, e ordena que todos os súditos de seu reino a adorem. Esse rei megalomaníaco quer ser o centro do mundo. Em terceiro lugar, o poder dos tiranos esbarra na fidelidade dos servos de Deus. O poder dos tiranos e dos déspotas sempre encontra seu limite em pessoas fiéis a Deus. Os três jovens hebreus são uma nota dissonante no meio daquela sinfonia de servilismo. Eles são intransigentes, inconformistas. A verdade é inegociável para eles. Não transigem com os absolutos de Deus. Não vendem a consciência. Preferem a morte à infidelidade. Estão prontos a morrer, não a pecar.

Cinco verdades fundamentais podem ser identificadas nesse precioso capítulo.

A prova (v. 1-7)

Nabucodonozor tornou-se um homem embriagado pelo poder e ofuscado pela sua própria glória. Seu coração se engrandeceu, e ele quis ser adorado como deus (v. 1-5). Ele não se contentou com a mais alta posição da terra, ser rei de reis; ele quis ser Deus. Diante da revelação da soberania e triunfo de Deus na história (capítulo 2), em vez de se humilhar, exaltou-se. Ele instituiu o culto de si mesmo e a adoração de seus deuses. Ele ordenou a todos os súditos de seu reino para se prostrarem e adorarem sua imagem. Ele escravizou as consciências e usou a religião para consolidar sua política opressora.

O passo seguinte foi manifestado pela barbárie de uma religião totalitária (v. 6,7). A religião totalitária exige a lealdade das pessoas pela força. Não conquista os corações, mas obriga as consciências. As pessoas se dobram por medo, não por devoção. É a religião do terror, não do amor. Estabelece uma pena para a desobediência: a morte. Estabelece um método para matar: a fornalha ardente. Nabucodonozor institui uma inquisição bárbara, uma adoração compulsória, uma religião opressora. Quando a religião se desvia da verdade, torna-se o braço da intolerância e da truculência.

A acusação (v.8-12)

As pessoas ingratas têm memória curta (v. 8). Os caldeus tinham sido poupados da morte pela intervenção de Daniel e seus amigos (Dn 2.5,18). Agora eles, de forma ingrata, acusam as pessoas que lhes ajudaram, no passado, a se livrar da morte. A ingratidão é uma atitude que fere as pessoas e entristece a Deus. A acusação dos caldeus é maliciosa. A palavra hebraica significa "comer a carne de alguém".[14]

As pessoas invejosas tentam se promover buscando a destruição dos concorrentes (v. 12). Os caldeus usam a arma da bajulação ao rei antes de acusar os judeus. Eles acrescentam um fato inverídico: "Não fizeram caso de ti". Eles não querem informar, mas distorcer os fatos e destruir os judeus. Isso, apenas porque esses judeus foram constituídos sobre os negócios da província. A inveja foi o pecado que levou Lúcifer a ser um querubim descontente, mesmo no céu, e a tornar-se um demônio. A inveja provoca contendas, brigas, mortes e desastres.

As pessoas fiéis, entretanto, entendem que fidelidade é uma questão inegociável. A fidelidade a Deus é mais importante que a preservação da própria vida. Esses jovens entenderam que agradar a Deus é mais importante que preservar a própria vida. A principal lição desse texto não é o livramento miraculoso, mas a fidelidade inegociável.[15]

DANIEL – Um homem amado no céu

Três jovens têm coragem de discordar de todos; de preferir a morte ao pecado. Estão dispostos a morrer, não a pecar. Transigir era uma palavra que não constava do vocabulário deles.

A fidelidade incondicional não é uma barganha com Deus. Muitas vezes, nossa fidelidade a Deus nos levará à fornalha, à cova dos leões, à prisão, a sermos rejeitados pelo grupo, a sermos despedidos de uma empresa, a sermos rejeitados na escola. Nosso compromisso não é com o sucesso, mas com a fidelidade a Deus.

Ceder à pressão da maioria pode destruir sua vida mais que o fogo da fornalha. Muitos jovens crentes são tentados a ceder. Jovens cristãos são instados a se embriagar com seus amigos ou a perder a virgindade antes do casamento. São tentados a mentir aos pais, a ver filmes indecentes, a curtir músicas maliciosas do mundo.[16] O mundo tem sua própria fornalha ardente à espera daqueles que não se conformam em adorar seus ídolos. É a fornalha de ser desprezado, ridicularizado. Os que são fiéis a Deus são chamados de retrógrados. Cuidado com a opinião da maioria, ela pode estar errada e, via de regra, está.

A firmeza (v. 13-18)

É importante entender que não fomos chamados para sermos advogados de Deus, mas Suas testemunhas (v. 16-18). Os três jovens não entraram numa discussão infrutífera. Eles não tentaram defender Deus. Eles apenas testemunharam dEle, mostrando que estavam prontos a morrer, mas não a ser infiéis a Deus. Nabucodonozor tenta intimidá-los, dizendo que deus nenhum poderia livrá-los de sua mão (v. 15). Mas eles não tentam defender a reputação de Deus, procuram apenas obedecê-Lo (v. 16,17).

Prontos a morrer, não a pecar

É importante entender, também, que nossa fé não pode ser arrogante (v. 17,18). Os três jovens dizem que Deus pode livrar, mas não dizem que Deus o fará. Eles não são donos da agenda de Deus. Eles não decretam nada para Deus. Eles não dizem: "Eu não aceito isto"; "Eu rejeito aquilo"; "Eu repreendo o fogo"; "O rei está amarrado". Eles não determinam o que Deus deve fazer. Nem sempre é da vontade de Deus livrar Seus filhos dos padecimentos e da morte. O patriarca Jó, no auge da sua dor gritou: "Ainda que Deus me mate, eu ainda confiarei nele" (Jó 13:15 ARA). Tiago, Paulo, John Huss, William Tyndale foram mortos, não poupados. Às vezes, Deus livra Seus filhos da morte; outras vezes, da morte. Não importa, pois "se vivemos para o Senhor vivemos; se morremos, para o Senhor morremos. De sorte que, quer vivamos quer morramos, somos do Senhor" (Rm 14.8).

Devemos ser fiéis a Deus, não apenas pelo que Deus faz, mas por quem Deus é (v. 17,18). Aqueles jovens não serviam a Deus por causa dos benefícios recebidos. A religião deles não era um negócio, uma barganha com Deus. Eles serviam a Deus por causa do caráter de Deus. Eles tinham uma fé teocêntrica, não antropocêntrica. Hoje as pessoas buscam a Deus, não por causa de Deus, mas por causa das dádivas de Deus. Querem bênçãos, não Deus.

Devemos fazer o que é certo e deixar as conseqüências nas mãos de Deus (v. 17,18). Nossa função é sermos fiéis, não administrar resultados. Olyott, corretamente, diz que é melhor ser morto prematuramente e encontrar o reto Juiz em paz que viver um pouco mais com vida repreensível e encontrá-Lo em terror.[17] Precisamos continuar crendo em Deus apesar das circunstâncias. Viver não é preciso,

55

andar com Deus sim. A morte por causa de Cristo não é uma tragédia, mas uma promoção. Os que morrem no Senhor são bem-aventurados. Ainda hoje, muitos cristãos preferem a morte nas prisões à liberdade no pecado. Prova disso é que mais da metade de todos os mártires da história viveram no século 20.

A liberdade (v. 19-25)

A fúria descontrolada é insensata. Nabucodonozor estava furioso e transtornado. Uma pessoa, assim, torna-se inconseqüente e insensata: Nabucodonozor desafiou a Deus (v. 15), mandou aquecer a fornalha sete vezes (v. 19) e mandou atar as pessoas antes de jogá-las no fogo (v. 20). Contudo, o fogo queimou não os crentes, mas seus algozes (v. 21).

Deus não nos livra dos problemas, mas nos problemas (v. 24,25). Deus não impediu a fabricação da imagem, não impediu que Nabucodonozor acendesse a fornalha, não impediu a divulgação do decreto, não impediu que os três jovens fossem acusados, não os livrou da fúria do rei nem do fogo da fornalha. Deus não impediu que eles fossem atados e jogados na fornalha acesa e aquecida sete vezes mais, mas livrou-os na fornalha (Is 43.1-3).

Deus transformou o instrumento de morte em instrumento de livramento (v. 25,27). O fogo os libertou das amarras, e Deus os libertou do fogo. O fogo só queimou as cordas que os prendiam. O fogo os libertou das cordas, e Deus os libertou do fogo. Eles foram atados e jogados ao fogo, mas, eles não foram tirados do fogo. Eles saíram do fogo. Eles foram jogados amarrados, mas saíram livres (v. 26)! Olyott diz que o livramento *no* fogo é a estratégia de Deus.[18]

Quando todos os recursos da terra acabam, encontramos o livramento no quarto Homem, ainda que em meio da fornalha (v. 24,25). O livramento por intermédio do quarto Homem pode ser notado por meio da: 1) presença; 2) preservação e 3) promoção.

Deus desce para estar conosco na hora de nossa maior aflição. Ele é Deus conosco nas provas, nos vales, na dor, na solidão, na perseguição, na doença, no luto, na fornalha, e na morte. Ele é o quarto Homem.

O livramento no fogo é a estratégia de Deus. Quando somos fiéis a Deus, Ele tem um encontro conosco na fornalha. Só temos duas escolhas: ou ficamos fora da fornalha com Nabucodonozor ou dentro dela com Cristo. O lugar do calor da prova é o mesmo lugar da comunhão íntima com Cristo.[19]

Não há fornalha ardente que possa destruir o povo de Deus. O quarto Homem sempre vem ao nosso encontro. Ele prometeu: "Eis que eu estou convosco todos os dias, até a consumação dos séculos" (Mt 28.20).

A promoção (v. 26-30)

Quando você honra a Deus, Ele honra você (v. 26). O mesmo rei que ficou com o rosto transtornado de ira contra eles, agora os chamou reverentemente de servos do Deus Altíssimo (v. 26). O mesmo rei que decretou a morte deles, agora os faz prosperar (v. 30).

Quando você é fiel a Deus, o nome de Deus é exaltado (v. 28,29). O mesmo rei que pensou que nenhum deus poderia livrar os jovens de sua mão, agora está bendizendo a Deus e reconhecendo que não há Deus que possa livrar como Ele. Deus é glorificado, e os servos de Deus promovidos, sempre que a igreja responde às pressões do mundo com uma fidelidade inegociável.

Muitos homens de Deus já estiveram na fornalha: Abraão, em Moriá; Jacó, no vau de Jaboque; José, na prisão; Davi, na caverna; Daniel, na cova dos leões; Pedro, no cárcere; João, na ilha de Patmos. Todos esses experimentaram também a presença consoladora e libertadora do quarto Homem na fornalha. O quarto Homem sempre vem ao nosso encontro quando nossos recursos acabam. Ele está conosco sempre. Ele caminha conosco no meio do fogo, da dor, da doença, do abandono, da solidão, do luto e da morte.

Quando o quarto Homem nos faz sair da fornalha, até nossos inimigos precisam reconhecer a majestade de Deus e dar glória a Seu nome (v. 28). Deus nos promove quando saímos da fornalha. Saímos dela mais fortes e mais próximos de Deus!

NOTAS DO CAPÍTULO 4

[14] Evis Carballosa. Daniel y el reino mesiánicco, p. 95.
[15] Stuart Olyott. Ouse ser firme. O livro de Daniel, p. 38.
[16] Stuart Olyott. Ouse ser firme. O livro de Daniel, p. 42.
[17] Stuart Olyott. Ouse ser firme. O livro de Daniel, p. 45.
[18] Stuart Olyott. Ouse ser firme. O livro de Daniel, p. 48.
[19] Stuart Olyott. Ouse ser firme. O livro de Daniel, p. 51.

Capítulo 5

A luta de Deus na salvação de um homem

(Daniel 4.1-37)

A GRAÇA DE DEUS É SOBERANA, Seu chamado é irresistível. Os propósitos de Deus não podem ser frustrados. Ele leva a cabo tudo o que determina fazer. Agindo Deus, ninguém o impedirá. O apóstolo Paulo declara: "Aos que predestinou, a estes também chamou; e aos que chamou, a estes também justificou; e aos que justificou, a estes também glorificou" (Rm 8.30). Daniel, no capítulo 4, mostra a luta de Deus na salvação de Nabucodonozor. Deus move os céus e a terra para levar esse soberbo rei à conversão.

O livro de Daniel mostra a soberania de Deus na história e também na salvação de cada pessoa.

Vejamos algumas lições:

As iniciativas de Deus para alcançar um homem

Deus usou quatro diferentes expedientes para levar Nabucodonozor à conversão. Em primeiro lugar, colocou pessoas crentes em sua companhia. No palácio de Nabucodonozor estavam Daniel e seus três amigos. Eles eram jovens crentes, fiéis e cheios da graça de Deus. Mas o convívio com pessoas crentes, por si só, não converte ninguém, ainda que sejam crentes excepcionais, como aqueles quatro jovens.[20]

Em segundo lugar, mostrou para ele que só o Reino de Cristo é eterno. Nabucodonozor, apesar dessa estupenda revelação, permanece ainda pagão. Está atribulado por causa de seu sonho, furioso com os sábios que não conseguem decifrá-lo. Por isso, mandou matá-los. Só um homem sem Deus pode agir assim. Daniel falou-lhe acerca do Reino de Deus que viria e que jamais seria destruído. Nabucodonozor foi levado a contemplar a ruína de sua religião e a confessar que o Deus de Daniel é o Deus dos deuses (Dn 2.47). Ele ficou impressionado, reconheceu que Deus existe, chegou a reconhecer que o Senhor é o maior de todos os deuses. Mas ele não se converteu. Logo no capítulo 3, esquece ele sua confissão.

Em terceiro lugar, mostrou para ele que só Deus liberta. Agora, Nabucodonozor fez uma hedionda estátua, representando a si mesmo, e ordenou que todos a adorassem. Perdeu sua convicção anterior de que Deus é o Deus dos deuses. Agiu em direta contradição às verdades que recentemente confessara. As palavras de sua boca não alcançaram seu coração. Hoje isso se repete. Muita gente fica impressionada, a verdade as cativa e as entusiasma, ficam inquietas com o que ouvem, mas não dão lugar ao Evangelho. Era essa a condição de Nabucodonozor no capítulo 3. Sua fúria de homem não convertido levou-o a jogar os três jovens na fornalha acesa. Ele teve o testemunho de fidelidade desses jovens, teve a visão do Filho de Deus pré-encarnado andando na fornalha. Ele, mais uma vez, confessou que não há deus que liberte como o Deus daqueles jovens. Mas Deus é o Deus de Mesaque, Sadraque e Abednego, não o seu Deus pessoal. Hoje, talvez, Deus é o Deus de seus pais, de seu marido, de sua esposa, de seus filhos, mas ainda não é o seu Deus pessoal. Você sabe que Deus livra, salva, liberta, mas você ainda não foi transformado por Ele nem está comprometido com Ele.

Em quarto lugar, mostrou para ele que só o Altíssimo tem domínio sobre o reino dos homens. Os versículos 17, 25 e 32 do capítulo 4 do livro de Daniel revelam a última ação de Deus para quebrar as resistências de Nabucodonozor. Deus levou esse homem à loucura para converter seu coração.

Stuart Olyott resume essa intervenção de Deus na vida de Nabucodonozor da seguinte forma:

"Nabucodonozor nos faz perceber quão longânimo é Deus. Deus se manifestou a ele indiretamente no capítulo 1, abordou-o diretamente no capítulo 2 e sacudiu-o no capítulo 3. Deus insistiu, insistiu e insistiu de novo. Mas o coração do rei ainda não se encontrava aberto para Deus. No capítulo 4, Deus o instou mais uma vez. A graça de Deus é soberana e, nessa ocasião, Ele agirá de tal forma que destruirá toda resistência ao Seu poder. Deus determinou entrar no coração de Nabucodonozor, e o fará".[21]

A revelação de Deus para alcançar um homem

Nabucodonozor teve um sonho perturbador (Dn 4.10-18). Uma árvore no meio da terra, cuja altura chegava ao céu e era vista até aos confins da terra. Havia nela sustento para todos, e todos os seres viventes se mantinham dela. Um santo que descia do céu deu ordens para derribar a árvore e afugentar todos os animais. Mas a cepa com as raízes devia ser deixada para ser molhada pelo orvalho do céu até que passassem sobre ela sete tempos. O sonho do rei tem uma aplicação pessoal clara, daí seu temor. A mensagem central do sonho não era enigmática (v. 17).

Daniel deu ao sonho uma interpretação corajosa (Dn 4.19-27). A árvore frondosa, que cresceu, tornou-se notória, grande, poderosa e esplendida; ela era o próprio rei (v. 22). A ordem para cortar a árvore vem do céu, como um decreto do Deus Altíssimo. O significado é que o rei será expulso de entre os homens para morar com os animais do campo como um bicho, até que reconheça que o Altíssimo tem domínio sobre o reino dos homens (v. 25). Depois que o rei passar pela humilhação e quebrantamento, Deus mesmo restaurará.

As palavras de Daniel cumpriram-se fielmente (Dn 4.28-33). Tudo o que Daniel falou para o rei aconteceu literalmente. Nabucodonozor, em vez de se humilhar, não atendeu a mais esse alerta de Deus e, por isso, foi arrancado do trono, expulso de entre os homens para viver como um animal do campo.

A soberania de Deus para salvar um homem

Vários pontos merecem destaque nesse trecho do livro de Daniel. Em primeiro lugar, vejamos a paciência generosa de Deus (Dn 4.29). Ele não derrama Seu juízo

A luta de Deus na salvação de um homem

antes de chamar o homem ao arrependimento. Deus deu doze meses para Nabucodonozor se arrepender. Deus também tem lhe falado. Ele não quer que você pereça. Ele tem lhe dado muitas oportunidades. Noé pregou durante 120 anos. Sodoma teve o testemunho de Ló. Jerusalém, antes de ser levada cativa, ouviu o brado dos profetas que a convocaram ao arrependimento. Hoje Deus está lhe dando mais uma chance. Cada dia é um dia de graça. É mais uma chance que Deus lhe dá.

Em segundo lugar, vejamos a dureza do homem que rejeita ouvir a voz de Deus (Dn 4.4,29). Nabucodonozor estava feliz e calmo passeando no palácio a despeito do solene aviso de Deus (Dn 4.29). Ah! Se você pudesse perceber o perigo em que se encontra sua alma, você cairia com o rosto em terra. Você gritaria por socorro. O inferno está com a boca aberta para lhe devorar. Há um abismo debaixo de seus pés. Os demônios querem levá-lo à perdição. O tempo é de emergência, não de folguedo.

Nabucodonozor exalta-se em vez de dar glória a Deus (Dn 4.30). Ele diz: "Eu edifiquei"; "pela força do meu poder"; "para a glória da minha majestade". Ele era a causa, o meio e a finalidade de tudo que acontecia em seu reino. Tudo girava em torno da realeza imperial. A soberba precede a ruína. A auto-exaltação torna o homem cego, tolo e endurecido.

A prosperidade não é garantia contra a adversidade. Babilônia era a cidade mais rica e poderosa do mundo. Ela tinha 96 km de muros, com 25 metros de largura, 25 portões de cobre, com uma imagem de Marduque no grande templo com 22.500 kg de ouro.[22] Evis Carballosa diz que havia mais de cinqüenta templos dentro da cidade, sendo o maior de todos, aquele dedicado a Marduque.[23]

63

Nabucodonozor era rei de reis, um grande conquistador e construtor. A cidade estava cheia de prédios, palácios e templos. Lá estavam os *Jardins Suspensos*, uma das sete maravilhas do mundo antigo, construídos para sua esposa, uma princesa da Média, que sentia falta das montanhas de sua terra natal.[24] Ele era um homem que tinha poder, riqueza e fama. Seu reino era glorioso e extenso. Mas as nações são para Deus como um pingo, como um pó, como um vácuo, como nada. O rei cairia, Babilônia cairia. Só o Reino de Deus é eterno.

Em terceiro lugar, vejamos a humilhação do homem impenitente (Dn 4.31-33). Ela vem do céu (Dn 4.31). Quando o homem não escuta a voz da graça, ouve a trombeta do juízo. Deus abriu para o rei a porta da esperança e do arrependimento, ele porém, não entrou. Então, Deus o empurrou para o corredor do juízo. Deus o humilhou. O poder e a prosperidade sem o temor de Deus podem intoxicar a alma (Dt 18.11-18). O orgulho é algo abominável para Deus, pois Ele resiste ao soberbo.

A humilhação do homem é repentina (Dn 4.31,33). A paciência de Deus tem limite. O cálice da ira de Deus se enche. Chega um ponto que Deus diz: "Basta! Ainda estava a palavra na boca do rei...".

A humilhação é terrível (Dn 4.32,33). O rei ficou louco. Deus o fez descer ao fundo do poço, tirou seu entendimento e deu-lhe um coração de animal. Seu cabelo cresceu como penas de águia, suas unhas cresceram como as das aves. Vivia como animal no campo, comendo capim, pastando no meio dos bois. Sua doença era chamada de insânia zoantrópica, licantropia ou boantropia, ou seja, considerar-se um animal, agir como um animal.[25] Stuart Olyott afirma que as pessoas que sofrem desta terrível

A luta de Deus na salvação de um homem

enfermidade agem como o animal que imaginam ser e emitem os ruídos que o caracterizam.[26] Deus colocou o homem mais poderoso do mundo no meio dos bois. Deus golpeou seu orgulho para levá-lo à conversão. Ele passou a comer capim, a rolar no chão com os cascos crescidos. O poderoso Nabucodonozor virou bicho, foi pastar. A humilhação é irremediável (Dn 4.32,33). Ninguém pôde ajudar Nabucodonozor, embora fosse o homem mais rico e mais poderoso da terra. A humilhação finalmente é proposital (Dn 4.27). 1) É cheia de esperança (v. 26,32); 2) Visa o arrependimento (v. 27). Deus o mandou comer capim para não o mandar para o inferno. Essa é a eleição da graça, que leva o homem ao fundo do poço e depois o tira de lá. Deus não fez o mesmo com Belsazar que foi condenado inapelavelmente. Herodes, por não dar glória a Deus, foi comido de vermes. O Deus que fere é o Deus que cura. O que humilha, também exalta. É melhor ficar louco e ser salvo que ser lançado eternamente no inferno.

Em quarto lugar, vejamos a conversão do homem quebrantado (Dn 4.34-37). Como Deus operou a conversão de Nabucodonozor? Não foi exaltando-o, mas humilhando-o. É assim que Deus converte as pessoas. Quem não se fizer como criança, não pode entrar no Reino de Deus. Primeiro, o homem precisa ser confrontado com seu pecado e saber que está perdido. Depois, a lei o condena e o leva ao pó para reconhecer sua indignidade. No céu só entram pessoas quebrantadas.

Nabucodonozor via a glória de sua cidade. Ele tocava trombeta para si mesmo. Gostava de viver sob as luzes da ribalta. Aplaudia sua própria glória. Deus, portanto, o humilhou. Jogou-o no pó. Mandou-o para o pasto comer

DANIEL – Um homem amado no céu

grama. Tirou suas roupas palacianas e molhou seu corpo com o orvalho do céu. Suas unhas esmaltadas viraram casco.

A conversão de Nabucodonozor pode ser vista por intermédio de quatro evidências: ele glorifica a Deus (Dn 4.34). Agora, ele olha para o céu, para cima. Nossa vida sempre segue a direção de nosso olhar. Até agora ele só olhava para baixo, para a terra. Como aquele rico insensato que construiu só para esta vida, e Deus o chamou de louco. Muitos levantam os olhos tarde demais, como o rico que desprezou Lázaro. Ele levantou seus olhos, mas já estava no inferno. Nabucodonozor confessou a soberania de Deus (Dn 4.35). Testemunhou sua restauração (Dn 4.36) e adorou a Deus (Dn 4.37).

Stuart Olyott, afirma que da conversão de Nabucodonozor podemos aprender três lições práticas:[27]

Em primeiro lugar, nunca devemos desistir da conversão de qualquer pessoa. Aquele que arruinou Jerusalém destruiu o templo, carregou os vasos sagrados, esmagou a cidade, levou cativo o povo, adorava deuses falsos e era cheio de orgulho converteu-se. Se aquele que manda matar seus próprios feiticeiros e também jogar na fornalha os filhos de Deus; se aquele que exige adoração de seus súditos e força as pessoas a adorarem falsos deuses; se aquele que era o homem mais poderoso do mundo converteu-se, podemos crer que não há conversão impossível para Deus.

Creia na conversão do ateu, do agnóstico, do cínico, do apático, do blasfemo, do feiticeiro, do idólatra, do viciado, da prostituta, do homossexual, do drogado, do assassino, do presidiário, do político, do universitário, do patrão, do cônjuge, do filho e dos pais. Creia! Evangelize!

A luta de Deus na salvação de um homem

O Deus que salva está no trono. Quando Deus age, nem os loucos errarão o caminho.

Em segundo lugar, a razão pela qual você ainda não se converteu é porque ainda não está suficientemente quebrantado. É o publicano que bate no peito e chora pelos seus pecados que desce justificado. O grande perseguidor da igreja, Saulo de Tarso, só se converteu quando Jesus o joga no chão, e ele, cego, humildemente, volta-se para Jesus, quebrantado. Jesus não veio chamar justos, mas pecadores. Não veio curar os que se julgam sãos, mas os que reconhecem que são doentes e carentes.

Em terceiro lugar, quem reluta em se prostrar será quebrantado ou perecerá eternamente. Deus poderia tornar qualquer pessoa louca. Quem sabe como Deus reagirá a sua constante rejeição, a despeito das constantes advertências. Deus pode quebrar você sem que haja cura (Pv 29.1). Se Deus tornar você louco sem lhe restaurar, como você clamará por sua misericórdia? Se Ele chamar você agora, que desculpas você lhe daria? Deus chamou de louco àquele que confia apenas no dinheiro e não se prepara para o dia de sua morte.[28] Erga seus olhos ao céu enquanto é tempo. O homem rico o fez tarde demais e pereceu eternamente, nas chamas inextinguíveis do inferno.[29] O tempo de Deus é agora. É melhor ser quebrado por Deus agora que perecer eternamente no inferno. Reconheça hoje também a soberania de Deus e volte-se para o Senhor, pois Ele é rico em perdoar e tem prazer na misericórdia!

DANIEL – Um homem amado no céu

NOTAS DO CAPÍTULO 5

[20] Stuart Olyott. Ouse ser firme. O livro de Daniel, p. 54.

[21] Stuart Olyott. Ouse ser firme. O livro de Daniel, p. 56.

[22] Osvaldo Litz. A Estátua e a pedra. JUERP. Rio de Janeiro, RJ. 1985: p. 53

[23] Evis Carballosa. Daniel y el Reino Mesiánico. Publicaciones Portavoz Evangélico. Grand Rapids, Michigan. 1979: p. 114.

[24] Osvaldo Litz. A estátua e a Pedra, p. 53

[25] Edward J.Young. The Messianic Prophecies of Daniel. Eerdmans, Grand Rapids, Michigan. 1954: p. 112

[26] Stuart Olyott. Ouse ser firme. O livro de Daniel, p. 61.

[27] Stuart Olyott. Ouse ser firme. Olivro de Daniel, p. 63-66.

[28] Lucas 12.20.

[29] Lucas 16.19-31.

Capítulo 6

Morreu sem estar preparado

(Daniel 5.1-31)

HÁ UMA LINHA INVISÍVEL que separa a paciência de Deus de Sua ira. Os que persistem em andar no caminho errado cruzam essa linha invisível. Chega um dia em que Deus diz: "Basta!" Não há um caminho especial que conduza ao inferno. É necessário apenas permanecer, por tempo suficiente, em seu próprio caminho.[30] Nabucodonozor precisou ficar louco para ser convertido. Foi salvo porque se humilhou diante de Deus. Mas, Belsazar, apesar de tantos exemplos e advertências continuou no caminho da desobediência e morreu sem chance de arrependimento.

Deus oferece ao homem muitas oportunidades para arrepender-se.

DANIEL – Um homem amado no céu

Convida-o insistentemente a se voltar para Ele e o persuade. Mas se o homem continua no pecado, ele cruza essa linha invisível e, depois, perece inapelavelmente.

O capítulo 5 do livro de Daniel nos fala de outro rei. Belsazar não ficou louco para ser convertido, ele morreu sem conversão.

Um homem que desperdiçou todas suas oportunidades (Dn 5.22)

Belsazar foi um homem que testemunhou as obras de Deus dentro de sua casa, mas as desprezou. Ele era da família real. Seu pai, Nabucodonozor, foi convertido a Deus. Ele presenciou todos os acontecimentos relatados nos capítulos 1 a 4 daquele livro. Ele devia ter a idade de Daniel e viu seu testemunho, bem como o testemunho de seus amigos. Viu como Deus libertou os amigos de Daniel da fornalha, como Nabucodonozor foi arrancado do trono para tornar-se um animal, até que seu coração foi humilhado e convertido.

Stuart Olyott diz que Belsazar foi um homem que viu Deus tratando de modo pessoal com alguém próximo a ele. Sabia o que era conversão. O verdadeiro Deus fora louvado e adorado no palácio que agora ele ocupava como rei.[31]

Ele conviveu com o testemunho fiel a respeito de Deus, mas tapou seus ouvidos, fechou seus olhos e endureceu seu coração. Deus deu um ano para Nabucodonozor arrepender-se, mas Belsazar cruzou a linha da ira de Deus naquela mesma noite e pereceu. Viver no pecado é loucura. Horrenda coisa é cair nas mãos do Deus vivo.

Belsazar foi um homem que desprezou o conhecimento de Deus e não lhe deu glória, a despeito de conhecer a verdade (Dn 5.22). A impiedade produz perversão. O desprezo do conhecimento de Deus leva o homem a uma vida dissoluta moralmente. Belsazar conhecia a verdade, mas não foi dirigido por ela. Ele conhecia a verdade, mas a rejeitou deliberadamente para viver regaladamente em seus pecados.

Um homem que se entregou aos prazeres carnais à beira da morte (Dn 5.1-4,30)

Vários fatos marcantes nos chamam a atenção nesse texto de Daniel em primeiro lugar, Babilônia estava sendo tomada enquanto o rei estava festejando (Dn 5.2-4,30). Naquela noite, o rei Dario estava desviando o curso do rio Eufrates e marchando pelo leito do rio para entrar na inexpugnável cidade da Babilônia para tomá-la. O império estava caindo, e o rei estava se banqueteando. Aquela era sua última noite, e o rei estava se embriagando.

Em segundo lugar, o rei dá uma grande festa no dia de sua grande ruína (Dn 5.1). Ele estava fazendo uma festa nababesca no dia mais fatídico de sua vida. Osvaldo Litz diz que quanto maior a festa, maior a glória do festeiro.[32] Eles querem diversão e prazeres. A maior cidade do mundo estava sendo tomada, e o rei e os nobres estavam bebendo e se divertindo. Eles estavam à beira de um abismo e não se apercebiam disso. Muitas pessoas também não se apercebem do risco que correm. Estão à beira da morte, nas barras do juízo de Deus e continuam anestesiadas pelos seus pecados.

Em terceiro lugar, o rei lidera seus nobres em uma festa dissoluta, de embriaguez e de sensualidade na noite de seu juízo (Dn 5.2,3). Outro erro do rei foi o abuso da bebedeira. A embriaguez promove a dissolução

DANIEL – Um homem amado no céu

(Ef 5.18). A bebedeira é um espetáculo indigno que produz conseqüências desastrosas.[33] Quem bebe está soltando os freios do domínio próprio à beira de um abismo: acidentes de trânsito, brigas, assaltos, arrombamentos, delitos sexuais, adultérios e assassinatos têm muitas vezes sua origem no álcool. O rei deu uma grande festa. Gostava de pompa. Vivia para o prazer. Usava o poder apenas para corromper-se e deleitar-se no pecado. Era a festa dos excessos, da embriaguez desavergonhada. Onde as pessoas se entregam à bebedeira, não há bom-senso nem equilíbrio. O caminho da embriaguez é o caminho da ruína. A estrada da embriaguez é o caminho da vergonha, da derrota e da morte.

Em quarto lugar, o rei promove uma festa de profanação das coisas sagradas (Dn 5.3). O rei, além de se entregar à embriaguez, dá mais um passo na direção de sua ruína. Ele manda trazer os vasos do templo para profaná-los de forma estúpida e infame. Profanar as coisas de Deus é um grave pecado. Usar os vasos do templo, consagrados para o culto ao Senhor, numa festa profana, numa bacanal, foi uma terrível ofensa à santidade de Deus. Belsazar fez pior que seu pai. Este saqueou o templo de Jerusalém e levou os vasos sagrados para o templo de seu deus (Dn 1.2), mas Belsazar usou-os de modo sacrílego, para acrescentar um pouco de novidade a sua última orgia de bebedeira.[34] O rei estava zombando de Deus ao escarnecer das coisas de Deus. Aquele gesto de profanação era também uma afronta e um abuso ao povo de Deus. A cena é de desprezo ao Deus do céu, o Deus a respeito de quem Belsazar ouvira desde a meninice, e de rejeição ao testemunho que recebera.

O rei coloca os vasos do templo do Senhor nas mãos de seus convidados e lidera a orgia. Escarnecem do sagrado e exaltam o profano.

Em quinto lugar, o rei promove uma festa idolátrica ao dar louvor aos deuses fabricados por mãos humanas (Dn 5.4). Além de profanar as coisas de Deus, o rei ainda usa os vasos do templo para louvar suas falsas divindades. A idolatria é um pecado ofensivo a Deus. A idolatria é uma expressão de profunda cegueira espiritual. Ela provoca a ira de Deus.

Um homem que foi solenemente perturbado pelo dedo de Deus (Dn 5.5-9)

Deus transforma os prazeres do pecado em perturbação (Dn 5.5,6,9). Enquanto eles celebram aos seus deuses, bebendo vinho nos vasos do templo do Senhor, no mesmo instante, aparecem uns dedos escrevendo na parede. Osvaldo Litz comentando esse episódio diz: "O ruído dos copos e das taças cessou. A conversa emudeceu. As mãos ficaram imóveis. Em poucos segundos todo o ambiente estava transformado num palco de medo e horror".[35] A alegria do rei e de seus convidados acaba. A festa termina. O desespero toma conta de todos. O rei empalidece. Seus joelhos batem um no outro. A alegria do pecador dura pouco. Olyott diz: "Num piscar de olhos, tudo terminou para o monarca arrogante. Deus anotou todos seus pensamentos, palavras e obras. Agora, encontra-o e apresenta-lhe a conta!"[36] Se já uns dedos, escrevendo silenciosamente umas poucas palavras, causaram tão grande pavor, como, portanto se sentirão os pecadores quando virem o Senhor em toda a plenitude de Sua glória e ouvirem Sua voz proferindo a terrível sentença: "Apartai-vos de mim, malditos, para o fogo eterno, preparado para o Diabo e seus anjos" (Mt 25.41).[37]

Deus confunde os sábios do mundo com Seus mistérios (Dn 5.7,8). O rei busca uma explicação para a misteriosa aparição nos sábios da Babilônia. Mas eles são impotentes. Eles não podem discernir as coisas espirituais. A sabedoria humana não pode ajudar um homem aflito, em rebelião contra Deus.

Deus confronta os pecadores por intermédio de servos fiéis (Dn 5.10-17). Daniel é um homem diferente. Ele tem luz, inteligência, sabedoria e espírito excelente. Belsazar não o quis ouvir durante os dias de sua vida, mas agora precisa ouvi-lo na hora de sua morte. Daniel é um homem insubornável. Ele não faz a obra de Deus por dinheiro. Ele não vende seu ministério. Ele não busca favores dos poderosos deste mundo. Ele rejeita os presentes do rei. Daniel não procurava recompensa nem favores.

Um homem que foi fortemente confrontado pelo profeta de Deus (Dn 5.18-23)

Daniel enumera quatro razões em seu confronto. Em primeiro lugar, ele confrontou Belsazar porque ele deixou de reconhecer que Deus, o Altíssimo, tem domínio sobre o reino dos homens (Dn 5.18-21). Foi Deus quem deu o reino, grandeza e poder a Nabucodonozor (v. 18). A grandeza da Babilônia não era conquista de seus reis, mas dádiva de Deus. Nabucodonozor demorou muitos anos para entender isso. Mas seu filho, ainda não está reconhecendo. E, por isso, é confrontado.

Em segundo lugar, porque Belsazar deixou de se humilhar diante de Deus, a despeito de exemplo tão forte dentro da sua própria casa (Dn 5.22). Quanto mais luz temos, mais responsáveis somos. Ele viu o que aconteceu com o rei Nabucodonozor, indo comer capim com os bois, porque endureceu sua cerviz. A despeito de tantos exemplos, esse rei ainda mantém seu orgulho, sua soberba e sua incredulidade. O rei está tão cego que ainda não consegue enxergar sua ruína. Faz promessas aos sábios da Babilônia (v. 7) e a Daniel (v. 16) que não pode cumprir. Ele ainda pensava que podia honrar aqueles que lhe prestassem favores, sem saber que naquela noite morreria e seu império estaria nas mãos de outro rei. Belsazar foi condenado por seu orgulho. Aquele que não adora a Deus acaba adorando a si mesmo ou a outros deuses.

Em terceiro lugar, porque Belsazar fez um mau uso do conhecimento que recebera (Dn 5.22). O conhecimento das coisas de Deus nos torna responsáveis. O rei pereceu não por falta de luz, mas por cegueira deliberada. Ele morreu não por ignorância, mas por rebeldia.

Em quarto lugar, porque Belsazar afrontou a Deus em cujas mãos estava sua vida (Dn 5.23). Ele profanou os vasos do templo. Deu louvores aos deuses de ouro e pedra e não exaltou a Deus, em cujas mãos estava sua vida. A idolatria é uma afronta a Deus, é levantar-se contra o Senhor.

Um homem que foi condenado no tribunal de Deus (Dn 5.24-31)

Deus contou seu reino e deu cabo dele: MENE (Dn 5.24-26). No meio da orgia altiva e desregrada, move-se uma silhueta escura. São dedos que escrevem quatro palavras, palavras que confrontam todos os festeiros, que põem abaixo o rei e seu reino. A parede real parece a lápide de um túmulo, e todos viram o epitáfio sendo gravado nela: MENE, MENE, TEQUEL, UFARSIM (v. 25). Osvaldo Litz diz que essas três palavras fundamentalmente significam *número, peso, divisão*. O Reino de Belsazar foi contado, pesado, dividido e dado aos medos e persas.[38] MENE, MENE trata de uma repetição de ênfase. Leupold observa, porém, que *Mene* significa tanto "contar" como "fixar o limite de algo". De modo que a repetição sugere que Deus havia fixado o limite do reino de Belsazar.[39] Evis Carballosa diz que essa expressão significa que Deus havia contado o reino de Belsazar e lhe havia posto um fim.[40] Os dias de Belsazar estavam contados. Deus decidiu trazer o fim de seu reino. O período de seu governo havia terminado. Durante todos aqueles anos, Deus lhe deu oportunidades, mas ele se recusou. Agora Deus diz: "Basta! Acabou!" (v. 26).

Deus o pesou na balança e o achou em falta (Dn 5.27). TEQUEL: Carballosa diz que *tekel* procede do verbo "teqal", que significa "pesar" e também "ser leve ou falto de peso".[41] Deus pesou cada ato de sua vida. Ele tomou notas das oportunidades que Belsazar rejeitara desde sua juventude. Anotou todos os convites que ele desprezara. Deus escreveu, portanto, na parede seu epitáfio. Seus pecados ocultos e conhecidos, suas desordens e bebedeiras, sua rejeição às coisas santas e resistência às coisas espirituais foram todos pesados na balança de Deus. O Senhor pesou seu orgulho e sua soberba. Tudo foi pesado na balança. Deus ponderou sua vida do princípio ao fim e o achou em falta!

Uma vez que Deus não julga imediatamente, os ímpios concluem que não o fará de modo algum. Contudo, Ele pesa em sua balança toda zombaria e afronta. Nada é esquecido. Ele registra todos os convites para vir a Cristo que foram rejeitados. Anota cada desprezo a Sua ordem de arrependimento. Deus tem cada ação do homem gravada no céu. Deus registra tudo.[42] Deus dividiu seu reino e o destruiu (Dn 5.28-31). UFARSIM – PERES: *peres*, derivado do verbo "peras" significa "romper", "dividir".[43] O Reino de Belsazar foi dividido. Seu reino seria dividido e destruído. Isso aconteceu pelo poder dos medos e dos persas. O mesmo Deus que dera o reino a Nabucodonozor (v. 18), agora o dará aos medos e aos persas (v. 28). E não foi somente aquele reino que Belsazar perdeu, ele perdeu também o Reino de Deus. O rei atravessou a linha divisória da paciência de Deus. Tudo que o espera agora é "uma expectação terrível de juízo, e um ardor de fogo que há de devorar os adversários" (Hb 10.27).

Naquela mesma noite, enquanto Belsazar e seus convidados promoviam o carnaval da morte, o rei Dario desviou o curso do rio Eufrates, que corria pelo centro da cidade, e entrou, com suas tropas, a pé enxuto na cidade. Assim, invadiram a inexpugnável cidade, mataram o rei Belsazar e tomaram a Babilônia.[44] Xenofonte e Heródoto narram a queda da Babilônia assim: "Dario desviou o Eufrates para o novo canal e, guiado por dois desertores, marchou pelo leito seco rumo à cidade, enquanto os babilônios farreavam numa festa a seus deuses".[45]

Belsazar não aproveitou sua última oportunidade. No momento em que Deus fez sua chamada final ele estava bêbado.[46] Ai dos que deixam passar as oportunidades. Naquela mesma noite, Belsazar morreu e chegou ao fim um reino que durante setenta anos havia dominado a maior parte do mundo conhecido.

DANIEL – Um homem amado no céu

Não sabemos quando Deus dirá a alguém: "Mais um pecado, e será o último". Contudo, a escrita na parede se aplicará a você. Certamente, você será chamado de louco, pois o arrependimento estará fora de seu alcance para sempre!

A ordem de Deus para você é: "Buscai ao Senhor enquanto se pode achar, invocai-o enquanto está perto. Deixe o ímpio o seu caminho, e o homem maligno os seus pensamentos; volte-se ao Senhor, que se compadecerá dele; e para o nosso Deus, porque é generoso em perdoar" (Is 55.6,7).

NOTAS DO CAPÍTULO 6

[30] Stuart Olyott. Ouse ser firme. O livro de Daniel. Editora Fiel. São José dos Campos, SP. 1996: p. 67.

[31] Stuart Olyott. Ouse ser firme. O livro de Daniel, p. 69.

[32] Osvaldo Litz. A estátua e a pedra, JUERP. Rio de Janeiro, RJ. 1985; p. 58.

[33] Veja Pv. 23.29-35; Pv. 31.1-5; Lv 10.8-11; Gn 9.20ss; Gn 19.30ss; Et 1.10ss; 1 Rs 20; Is 5.11,22; 28.1,7,8.

[34] Ronald S. Wallace. A mensagem de Daniel. ABU Editora. São Paulo, SP. 1985: p. 87.

[35] Osvaldo Litz. A estátua de Pedra, p. 59.

[36] Stuart Olyott. Ouse ser firme. O livro de Daniel, p. 71.

[37] Osvaldo Litz. A estátua e a pedra, p. 60.

[38] Osvaldo Litz. A estatua e a pedra, 65.

[39] Herbert C. Leupold. Exposition of Daniel. Baker. Grand Rapids, Michigan. 1969: p. 234.

[40] Evis Carballosa. Daniel y el reino mesiánico, p. 131.

[41] Evis Carballosa. Daniel y el reino mesiánico, p. 131.

[42] Stuart Olyott. Ouse ser firme. O livro de Daniel, p. 76.

[43] Evis Carballosa. Daniel y el reino mesiánico, p. 132.

[44] Antonio Neves de Mesquita. Estudo no livro de Daniel. JUERP. Rio de Janeiro, RJ. 1978: p. 44,45.

[45] Henry H. Halley. Manual bíblico. Livraria Editora Evangélica, São Luiz Maranhão. p. 308.

[46] Ronald S. Wallace. A mensagem de Daniel, p. 104.

Capítulo 7

Íntegro no meio da corrupção

(Daniel 6.1-28)

A INTEGRIDADE PARECE SER uma virtude em extinção. Vivemos uma crise de integridade sem precedentes no mundo. Mudam os governos, mudam os partidos, mudam as leis, mas a corrupção continua instalada em todos os segmentos da política nacional e internacional. As CPI's destampam os esgotos nauseabundos de contínuos atos de corrupção nos corredores do poder, em que transitam desavergonhadamente as ratazanas esfaimadas que mordem sem piedade o erário público. Os escândalos se multiplicam. Políticos sem escrúpulo se abastecem das riquezas da nação e deixam os pobres de estômago vazio.

Há falta de integridade na família. A fidelidade conjugal está ameaçada.

A multiplicação dos divórcios por motivos banais é proclamada como uma conquista. O Brasil realizou, com ufanismo, a maior parada gay do mundo, com 1,5 milhão de pessoas, em São Paulo, no ano de 2004, sob os aplausos de eminentes políticos da nossa nação.

Há falta de integridade moral nos vários segmentos da sociedade. A integridade está ausente na escola, no namoro, no casamento, no comércio, na vida financeira, nas palavras e nos acordos firmados, nos palácios e até nas igrejas. Rui Barbosa, o grande tribuno brasileiro, chegou mesmo a vaticinar que chegaria o tempo em que os homens teriam vergonha de ser honestos. Esse tempo chegou.

A história, porém, nos mostra que em meio à corrupção há pessoas que se mantêm íntegras. O homem não é produto do meio como pensava o filósofo John Locke. Há abundantes exemplos dignos de serem seguidos nessa área da integridade. O jovem José, do Egito, foi íntegro ao preferir a prisão à liberdade do pecado. O profeta Jeremias preferiu a prisão à popularidade. João Batista, o precursor de Jesus, por ser íntegro, preferiu perder a cabeça a perder a honra.

Um homem íntegro num meio encharcado de corrupção (Dn 6.1-6)

A Babilônia tinha caído, um novo império tinha se levantado, mas os homens que subiram ao poder continuavam corruptos. O absolutismo do rei no império babilônico mudou para a descentralização do poder no império medo-persa. O regime de governo mudou, mas não o coração dos homens.

Íntegro no meio da corrupção

É um grande engano pensar que as coisas vão mudar para melhor em virtude das mirabolantes promessas dos políticos. Mudam-se os partidos. Mudam-se as figuras, mas o espírito e a cultura do aproveitamento são os mesmos.

O rei Dario estava preocupado com o problema da corrupção, por isso, constituiu 120 prefeitos e três governadores. Constituiu fiscais do erário público. Mas aqueles que deveriam vigiar e fiscalizar se corromperam. As riquezas caíram no ralo dos desvios. A corrupção estava instalada dentro do palácio, nas rodas mais altas do governo de Dario.

Nesse mar de lama, floresce um lírio puro. A vida de Daniel nos mostra que é possível ser íntegro mesmo cercado por um mar de lama de corrupção. Daniel mantém-se íntegro a despeito do ambiente. O homem não é produto do meio. Daniel não vende sua consciência. Ele não negocia os seus valores absolutos. Ele não se corrompe. A base de sua integridade é sua fidelidade a Deus. Concordo com a afirmação de Stuart Olyott: "A espiritualidade de Daniel é o alicerce de sua fidelidade diante dos homens".[47] Sua fé é a pedra de esquina de sua moralidade privada e pública. Os amigos de Daniel apagaram as chamas do fogo pela fé. Agora, Daniel fecha a boca dos leões pela fé.

A vida de Daniel nos prova que um homem pode permanecer íntegro mesmo quando é vítima de conspiração (Dn 6.4-5). O versículo 4 nos informa que eles procuravam uma "ocasião" para acusar Daniel. Essa palavra significa aqui que eles buscavam um pretexto, um motivo.[48] Procuraram também uma brecha na vida de Daniel. Assim, tentaram pegá-lo em seu ponto forte.

DANIEL – Um homem amado no céu

As circunstâncias adversas não alteraram as convicções de Daniel. A promoção e a honra dos íntegros incomodam as pessoas invejosas. A Bíblia diz: "Cruel é o furor, e impetuosa é a ira; mas quem pode resistir à inveja?" (Pv 27.4).

Porque Daniel era fiel a Deus, ele era fiel ao seu senhor terreno. Porque era diferente dos outros líderes foi perseguido, e conspiraram contra ele para matá-lo. Os inimigos de Daniel queriam afastá-lo do caminho deles. Mas como? Nada encontraram para atacar em sua vida moral, assim, conspiraram contra ele por intermédio de sua religião.

A vida de Daniel nos ensina que a mesma pessoa que bajula é aquela que também maquina o mal contra os justos (Dn 6.5-9). Sabiam que Daniel era um homem de oração, bajularam o rei Dario, elevando-o ao posto de divindade por um mês. O projeto trazia como isca a exaltação e a lealdade ao rei. Mas a intenção era outra. O rei tornou-se refém de seu próprio orgulho e, por conseguinte, de seu próprio decreto. E assim, sentenciaram à morte o homem de confiança do rei. Além da bajulação, usaram a mentira (v. 7). Atingiram Daniel com essa maniobra em que ele era o alvo e a vítima.

A vida de Daniel prova que um homem pode ser íntegro tanto na adversidade como na prosperidade. Muitos fraquejam quando passam pelo teste da adversidade. Daniel foi íntegro quando chegou à Babilônia como escravo. Ele resolveu firmemente não se contaminar. Agora ele passa pelo teste da prosperidade. Foi o primeiro ministro da Babilônia e agora é um governador do reino medo-persa. Sua integridade é a mesma. Ele não se deixa seduzir pela fama nem pela riqueza. Ele é um homem absolutamente confiável. A integridade nem sempre nos ajuda a granjear amigos. Gente íntegra é uma ameaça ao sistema de corrupção. Daniel incomodava a equipe de governo de Dario. Um funcionário honesto é uma ameaça para o sistema viciado pela corrupção. Uma jovem que não transige em seu namoro é vista como alguém antiquado. Um comerciante íntegro é uma ameaça para o sistema de propinas.

A vida de Daniel prova que a integridade implica em você fazer o que é certo quando ninguém olha ou mesmo quando todos transigem. Uma pessoa íntegra procura agradar a Deus mais que aos homens. Ela não depende de elogios nem muda sua rota por causa das críticas. Uma pessoa íntegra cumpre com a palavra empenhada e seu aperto de mão vale mais que um contrato. Daniel mantém-se íntegro apesar de haver uma debandada geral no governo de Dario. Ele sabia que sua integridade o tornava impopular diante dos outros líderes, mas sua consciência era cativa ao Senhor e comprometida com a verdade. Os opositores de Daniel odiaram-no não porque ele praticara o mal, mas porque ele praticara o bem. Eles bajularam e se tornaram hipócritas para alcançar o fim que desejavam, a morte de Daniel. Eles agiram em surdina, maquinaram nos bastidores, tramaram na escuridão.

Por ser fiel, você pode ser perseguido com maior rigor. As trevas aborrecem a luz. Os que andam na verdade perturbam os que vivem no engano. O íntegro é uma ameaça aos corruptos.

Um homem que prefere morrer a transigir com sua integridade (Dn 6.10-17)

Daniel não muda sua agenda ao saber que estava sentenciado à morte. Ele foi perseguido não por ser corrupto, mas por ser íntegro. Tramaram contra ele para afastá-lo do poder.

Dario caiu na armadilha da bajulação e se tornou refém de suas próprias leis. Daniel, seu homem de maior confiança, foi sentenciado à cova dos leões por causa de sua irretocável integridade. Daniel não foge nem transige, mas continua orando ao Senhor como costumava fazer (v. 10). As circunstâncias mudaram, mas não Daniel. Aprendeu a ser íntegro na mocidade e jamais mudou sua rota. Mesmo ancião, prefere a morte a transigir com sua consciência.

Estou de acordo com a afirmação de Olyott: "A verdadeira cova dos leões de Daniel foi seu quarto".[49] Ali foi seu Getsêmani, em que certamente foi tentado. Ele sabia que poderia ser destroçado pelos leões. O diabo prefere que preservemos nossas vidas e percamos nosso testemunho. Certamente, ele deve ter sido tentado a transigir ao se ajoelhar para orar: "Por que não facilitar as coisas? Veja a posição de privilégios de que goza. Pense na influência que continuará exercendo se transigir só nesse ponto. Assegure seu futuro. Não ore a Deus em público apenas durante este mês. Ore secretamente em seu coração, se quiser, mas por que fazê-lo como sempre fez? Certamente, você será notado e perderá tudo, inclusive a vida".

Daniel foi denunciado, preso e jogado na cova dos leões. Sua integridade não o livrou da inveja, fúria, astúcia e perseguição dos corruptos. Mas Deus o sustentou em seu quarto de oração e fechou a boca dos leões na

Íntegro no meio da corrupção

cova da morte. Mesmo que você morra por causa de sua integridade, você ainda é bem-aventurado porque felizes são aqueles que sofrem por causa da justiça!

Daniel enfrenta a conspiração de seus inimigos não com armas carnais, mas com oração (Dn 6.10,11). Dario assina uma sentença irrevogável, pois a lei é maior do que o rei. Dario caiu na arapuca da lei e da ordem. Não havia motivo para acusar Daniel, então arranjaram um. Ao fim, os culpados seriam os inocentes e Daniel seria morto pelas mãos do próprio rei, um inocente. O destino de Daniel estava lavrado. Sua sentença de morte foi assinada.

Como Daniel enfrentou aquela situação humanamente irreversível? Ele orou. Como ele orou? Do mesmo jeito que sempre orara. Não mudou a postura, nem o lugar, nem o conteúdo da oração. Vejamos algumas marcas de sua oração: em primeiro lugar, sua oração foi constante. Daniel tinha o hábito de orar. Ele não suspendeu sua prática de oração quando foi informado de que as circunstâncias eram desfavoráveis a ele. As circunstâncias mudaram, mas Daniel não.

Em segundo lugar, sua oração foi regular. Daniel ora três vezes ao dia (Sl 55.17). Ele não se escondeu nem diminuiu seu ritmo de oração. Se não agendarmos nossa vida de oração, não orarmos. Tudo aquilo que é importante para nós deve estar em nossa agenda.

Em terceiro lugar, sua oração foi confiante. Ele orava com a janela aberta para as bandas de Jerusalém. Ele acreditava na promessa de 1 Reis 8.46-49, quando o templo foi consagrado. Ele orou com fé. Ele sabia que Deus podia intervir. Ele já tivera experiências com Deus.

Em quarto lugar, sua oração foi corajosa. Ele abre a janela como costumava fazer. Ele não se preocupa em fechar a janela. Ele sabe que é Deus quem nos livra. DEle vem nosso socorro.

Em quinto lugar, sua oração foi cheia de gratidão. Daniel está sentenciado à morte, mas agradece a Deus em sua oração.

Finalmente, sua oração foi cheia de intensidade. Daniel não apenas orou e deu graças, ele também fez súplicas. Ele pôs toda a intensidade de sua alma em seu clamor a Deus. Súplica é oração com forte grau de intensidade.

Daniel não foi poupado dos problemas, mas nos problemas (Dn 6.11-17). Seus inimigos agiram com maldade, orquestrando e tramando nos bastidores. Nesse processo, quatro coisas acontecem: em primeiro lugar, a descoberta (Dn 6.11). Os orquestradores contra Daniel encontraram-no orando. Era tudo que eles precisavam para levar adiante o plano de matá-lo.

Em segundo lugar, a informação (Dn 6.12-15). A informação estava cheia de veneno: 1) acentuava o preconceito, falando de Daniel como um exilado, mesmo depois de setenta anos de integridade como o homem mais importante do governo; 2) acrescentava uma informação falsa, afirmando que Daniel não fazia caso do rei; e 3) ressaltava que tanto Daniel como o rei foram vítimas de uma trama.

Em terceiro lugar, a execução (Dn 6.16,17). A cova dos leões era a forma mais cruel de sentença de morte no reino medo-persa. Babilônia matava numa fornalha, o reino medo-persa na cova dos leões.

Em quarto lugar, o livramento (Dn 6.18-23). Você não pode evitar que os homens maus tramem contra você, mas você pode orar, e Deus pode frustrar o propósito dos ímpios. Os perversos não contavam com a intervenção de

Deus, com o livramento do anjo do Senhor. Stuart Olyott narra essa situação da seguinte maneira:

> Naquela noite, Satanás não incomodou Daniel, porque este lhe havia resistido. Daniel teve a companhia do Senhor Jesus Cristo! O anjo do Senhor que guiou Jacó do início ao fim de sua longa vida, o anjo que andou com Sadraque, Mesaque e Abednego na fornalha de fogo – esse mesmo anjo abençoou Daniel, ficando ao seu lado durante aquela noite. Aquele que, anos depois, mostraria Sua autoridade sobre os ventos e as ondas do mar, naquela noite demonstrou Sua autoridade sobre os leões ao restringir todos seus instintos naturais, a fim de não matarem brutalmente a vítima que lhes fora apresentada! [50]

Um homem honrado por Deus por sua integridade (Dn 6.18-28)

Quando cuidamos de nossa integridade, Deus cuida de nossa reputação. Daniel não podia administrar a orquestração dos seus inimigos, nem fazer o rei retroceder, nem mesmo se recusar a ir para a cova dos leões. Ele não podia tapar a boca dos leões, mas podia manter-se íntegro. Ele podia orar e pôr sua confiança em Deus. Isso ele fez. Cabe a nós manter-nos fiéis, velar pelo nosso testemunho e honrar a Deus com nossa vida. Cabe ao Senhor nos livrar das garras do inimigo. Daniel creu em Deus e o anjo fechou a boca dos leões.

Deus livrou Daniel em meio do problema e não do problema. Muitas vezes, Deus não nos poupa das aflições, mas nos livra nelas ou mesmo na morte. [51]

Quando cuidamos de nossa integridade, Deus defende nossa causa contra nossos inimigos (Dn 6.24). Daniel saiu da cova dos leões. A maldição dos seus inimigos caiu sobre a cabeça deles (v. 24). Daniel foi exaltado e honrado, enquanto seus inimigos foram desmascarados e destruídos.

DANIEL – Um homem amado no céu

Quando cuidamos de nossa integridade, Deus nos exalta (Dn 6.28). Daniel viu a Babilônia cair. Ele foi promovido no reino de Dario, o medo, e também no reino de Ciro, o persa. Deus honra aqueles que o honram. Deus é quem exalta e também quem humilha.

Quando cuidamos de nossa integridade, o nome de Deus é exaltado (Dn 6.26,27). Mais do que o nome de Daniel, o nome de Deus foi proclamado e exaltado em todo o império medo-persa. O fim último de nossa vida é glorificar a Deus. Devemos viver de tal maneira que os homens vejam nossas boas obras e glorifiquem ao nosso Pai que está nos céus.

Dario exaltou a Deus dizendo: 1) Ele é o Deus vivo; 2) Ele é o Deus eterno que vive para sempre; 3) Seu reino jamais será destruído; 4) o domínio de Deus jamais terá fim; 5) Ele é o Deus que livra, salva e faz maravilhas; e 6) Ele é o Deus que livrou Daniel.

NOTAS DO CAPÍTULO 7

[47] Stuart Olyott. Ouse ser firme. O livro de Daniel, Editora Fiel. São José dos Campos, SP. 1996: p. 82.

[48] Evis Carballosa. Daniel y el reino mesiánico, Publicaciones Portavoz Evangélico. Grand Rapids, Michigan. 1979: p. 136.

[49] Stuart Olyott. Ouse ser firme. O livro de Daniel, p. 85.

[50] Stuart Olyott. Ouse ser firme. O livro de Daniel, p. 89.

[51] 2Timóteo 4.6-8,17,18.

Capítulo 8

Os reinos do mundo e o reino de Cristo

(Daniel 7.1-28)

ESTE CAPÍTULO INICIA a segunda parte do livro de Daniel. Nos capítulos 1 a 6 vimos a parte histórica do livro; agora, nos capítulos 7 a 12, veremos a parte profética.

O livro de Daniel é chamado de "O Apocalipse do Antigo Testamento". Ele trata da saga dos reinos do mundo e da vitória triunfal do Reino de Cristo. É um livro escatológico e apocalíptico.

Edward Young diz que o capítulo 7 de Daniel trata do mesmo assunto que foi tratado no capítulo 2. Ele afirma que esses dois capítulos são paralelos.[52] José Grau sugere que para um claro entendimento, esses dois capítulos devem ser lidos conjuntamente.[53] Evis Carballosa corretamente afirma que o capítulo 2

DANIEL – Um homem amado no céu

apresenta um panorama na perspectiva do homem, enquanto o capítulo 7 apresenta uma perspectiva divina do mesmo tema. Como a revelação divina é progressiva, o capítulo 7 acrescenta detalhes importantes à revelação dada no capítulo 2.[54]

O capítulo 7 está dividido em duas grandes partes: os versículos 1 a 14 retratam o sonho de Daniel; os versículos 15 a 28, a interpretação do sonho.

Daniel 7 trata do desenrolar da história humana até o fim do mundo. Se olharmos apenas para os reinos deste mundo somos o povo menos favorecido da terra, mas se olharmos para o trono de Deus somos o povo mais feliz da terra. Os impérios do mundo surgem, prosperam e desaparecem, mas o Reino de Cristo permanece para sempre.

Na convulsão terrível da história, Daniel olha e vê Deus assentado no trono (v. 9-11). Antes de a igreja passar pela perseguição do mundo e do anticristo, ela precisa saber que Deus está no trono e que Cristo vai voltar para nos dar Seu Reino (v. 12-14).

Os reinos do mundo

O que podemos aprender acerca dos reinos do mundo? Em primeiro lugar, eles estão debaixo da soberania de Deus (Dn 7.2,3). Os quatro ventos que agitam o mar vêm do céu. Esses quatro ventos falam da universalidade e totalidade do mundo. O mundo todo está envolvido nos acontecimentos. São fatos de alcance mundial.[55]

Como o mar é um símbolo dos povos em sua convulsão histórica e o vento um símbolo da intervenção de Deus na terra, podemos afirmar que o levantamento dos reinos do mundo é um ato da soberania de Deus. Ele levanta reinos e abate reinos. Foi Deus quem trouxe os caldeus e entregou Jerusalém nas mãos de Nabucodonozor. Foi Deus quem entregou a Babilônia nas mãos de Dario. É Deus quem dirige a história. Em segundo lugar, os reinos do mundo vêm da convulsão dos povos, nações e raças (Dn 7.2,3). O mar Grande é uma descrição literal do mar Mediterrâneo e um símbolo dos povos, raças e línguas, dos quais procedem os reinos que Daniel descreverá. Os impérios são levantados e derrubados. Da convulsão dos povos surgem os grandes reinos. Eles crescem, fortalecem-se, deterioram-se e caem, mas só o Reino de Deus permanece para sempre, conforme Daniel capítulo 2.

Osvaldo Litz descreve esta verdade, assim:

> Os quatro animais 'subiam do mar'. Isso indica a origem dos reinos deste mundo: eles vêm de baixo, emergem do oceano da humanidade e nele tornam a imergir. Assim como as ondas do mar sobem, mas forçosamente têm que descer outra vez, nenhum reino ou império consegue manter-se sempre acima dos outros. Cada novo reino, cada nova potência mundial sempre tragou a anterior e tomou seu lugar. Foram edificados com sangue e lágrimas, e em meio de sangue e lágrimas tornaram a desaparecer.[56]

Ainda prossegue Osvaldo Litz: "O reino de Deus, porém, tem outra procedência. Ele não vem de baixo, mas do alto. Não é de homens, mas, de Deus. Por isso ele é eterno e não temporal".[57]

No capítulo 7 a descrição dos quatro animais, é um texto paralelo à descrição, no capítulo 2, da grande imagem levantada por Nabucodonozor. O capítulo 2 trata do assunto numa perspectiva humana e o capítulo 7, numa perspectiva divina. O capítulo 2 trata da história dos impérios em seu aspecto externo: seu esplendor; o

DANIEL – Um homem amado no céu

capítulo 7 trata do aspecto espiritual interno: são como feras selvagens. Como a revelação de Deus é progressiva, o capítulo 7 acrescenta fatos não contemplados no capítulo 2. Esses quatro animais sobem do mar de forma sucessiva e não simultânea. Esses animais, que representam impérios, também são diferentes uns dos outros. Contudo, eles têm quatro coisas em comum: 1) origem – de baixo; 2) natureza – animais ferozes; 3) futuro e fim – todos serão destruídos; e 4) os quatro têm o mesmo tempo determinado por Deus (v. 12).[58]

Esses quatro animais representam quatro reis, ou seja, quatro impérios (Dn 7.3-7,17). Em primeiro lugar, vemos o leão, símbolo do império babilônico (v. 4).[59] O leão é o rei dos animais e a águia, a rainha das aves. Ambos são símbolos da grandeza da Babilônia. As asas arrancadas falam de Nabucodonozor sendo expulso do trono para viver com os animais (Dn 4.32). Quando o texto relata que lhe foi dada mente de homem, isso se refere ao retorno de sua lucidez e a sua conversão (Dn 4.32b,36,37).

Em segundo lugar, vemos o urso, símbolo do império medo-persa (v. 5), um império formado pela coligação de dois povos: os medos e os persas. Esse império foi descrito em Daniel 2.32,39. Essas três costelas na boca do urso simbolizam os três reinos conquistados: lídia, Egito e Babilônia.

Em terceiro lugar, vemos o leopardo, símbolo do império grego (v. 6). O leopardo alado é um símbolo de grande velocidade e agilidade de movimentos. Esse animal simboliza o império grego-macedônio. Em 334, Alexandre Magno empreendeu sua surpreendente conquista que em um período de 10 anos o levou a ser soberano de um vasto

Os reinos do mundo e o reino de Cristo

império. Alexandre, educado por Aristóteles, difundiu a cultura grega entre os povos vencidos. Assim, o grego tornou-se idioma conhecido em todo o mundo antigo e veio a ser a língua em que o Novo Testamento foi escrito. Ele fundou a cidade de Alexandria, conhecida mundialmente por sua famosa biblioteca e pelo farol na ilha de Faros, uma das sete maravilhas do mundo antigo.[60] Com sua súbita morte em 323 a.c., na Babilônia, seu reino foi dividido em quatro cabeças, ou seja, quatro divisões do império. Quatro generais dominaram o reino de Alexandre: Casandro, Ptolomeu, Lisímaco e Selêuco.[61] Diz o versículo 6 que o domínio lhe foi dado. Foi Deus quem levantou Alexandre Magno. Deus dirige a história. Osvaldo Litz afirma corretamente que é Deus quem dá o poder aos poderosos da terra. E é Ele mesmo quem o tira de suas mãos. O mundo não é governado pelo fatalismo nem pelos mais fortes, mas pelos planos de Deus.[62]

Em quarto lugar, vemos um animal espantoso, terrível e sobremodo forte, símbolo do império romano (v. 7). O que caracteriza o quarto animal é sua força e poder, ou seja, sua capacidade de destruir. Tinha grandes dentes de ferro; devorava e fazia em pedaços, pisava aos pés o que sobejava. Todas essas características sugerem força e insensibilidade com suas vítimas (v. 23).

Esse quarto animal tem dez chifres que são identificados como dez reis (v. 24). Esse quarto animal é uma descrição do império romano. Em 241 a.C., os romanos derrotaram os cartagineses e ocuparam a ilha da Sicília. Em 218 a.C., as legiões romanas fizeram sua entrada na Espanha. Em 202 a.C., os romanos conquistaram Cartago. Em 146 a.C., eles tomaram a cidade de Corinto. Em 63 a.C., Pompeu ocupou a Palestina. Em 30 a.C., Marco Antonio incorporou o Egito ao território romano. De modo que antes do nascimento de Cristo os romanos tinham praticamente o controle do mundo conhecido.[63]

O império romano experimentou dois séculos de glória e esplendor. Em 476 d.c., os bárbaros puseram fim ao império romano no Ocidente, e, em 1453 d.C., os turcos ocuparam a cidade de Constantinopla, e o império romano no Oriente se desintegrou.[64]

O império romano é diferente dos três primeiros reinos (v. 23). Os três primeiros foram absorvidos um pelo outro, mas o quarto império será destruído por intervenção divina. A pedra vai torná-lo pó. O Reino de Cristo vai encher toda a terra (Dn 2.44,45).

O reino do anticristo

Daniel passa agora a falar sobre o anticristo e seu reino. Quatro coisas merecem destaque. Em primeiro lugar, ele fala sobre a pessoa do anticristo (Dn 7.8). O anticristo escatológico será uma pessoa e não um sistema.[65] Ele tem um número de homem, 666.[66] Ele é descrito por Daniel como o "Pequeno Chifre".[67] O apóstolo João o chama de *o Mentiroso*[68], *o Anticristo*[69] e *a Besta*[70]. O apóstolo Paulo o chama de *o homem da iniqüidade*[71], *o iníquo*[72], *o filho da perdição.*[73] Jesus o chama de *o abominável da desolação.*[74]

O prefixo *anti* significa oposto a ou em lugar de. O anticristo não só se oporá ao Senhor Jesus Cristo, mas também terá a intenção de pôr-se em Seu lugar e tentará fazer isso. Embora o espírito da iniqüidade, ou seja, o espírito do anticristo já opere, embora muitos anticristos existam, e todo aquele que se opõe a Cristo ou queira ocupar o lugar de Cristo seja um anticristo,

Os reinos do mundo e o reino de Cristo

esse pequeno chifre é uma pessoa escatológica que perseguirá brutalmente a igreja antes da segunda vinda de Cristo.

Em segundo lugar, Daniel fala sobre a origem do anticristo. Ele é um simulacro da encarnação. Sua origem é satânica. Ele recebe todo poder, autoridade e o trono de Satanás.[75] O anticristo tem também uma origem mundana. O pequeno chifre surge do quarto animal, entre os outros dez chifres.[76] Ele não será um ser extraterrestre, um demônio, mas um homem.

O pequeno chifre é pequeno só no começo (v. 8), mas cresce progressivamente até distinguir-se como mais robusto que os outros chifres (v. 20). Ou seja, o governo do anticristo será a expressão mais forte de poder na terra até ser desarraigado por Cristo.

O que significam esses dez chifres, de onde procede o pequeno chifre? Na interpretação amilenista, o número dez é simbólico, como simbólico é todo o texto.[77] Esses dez chifres representam um estágio posterior na história deste império (v. 24). O império Romano sucedeu-se uma multiplicidade de reinos. Dez é um número completo. O anticristo surge numa terceira etapa desse reino. O poder se concentrará num indivíduo. Ele quererá ser Deus (2Ts 2.3,4).

O anticristo será o último dominador do mundo. Com ele também cessará o domínio e o poder dos outros reinos. Ele será o último líder mundial.

Em terceiro lugar, Daniel fala sobre a ação do anticristo. Essa ação pode ser identificada em seu ódio a Deus. Sua boca falará grandes coisas (v. 8,20). Proferirá palavras contra o Altíssimo (v. 25). Cuidará em mudar os tempos e a lei (v. 25).

DANIEL – Um homem amado no céu

Essa ação pode ser identificada também na perseguição aos santos. O anticristo fará guerra contra os santos e prevalecerá contra eles (v. 21). Ele magoará os santos do Altíssimo (v. 25). Os santos lhe serão entregues nas mãos (v. 25).

Essa ação pode ser ainda identificada por meio de uma desordem anárquica. O anticristo mudará os tempos e a lei (v. 25). Ele é chamado o homem da iniqüidade, ou seja, o homem sem lei. Ele não respeitará leis.

Em quarto lugar, Daniel fala sobre a derrota do anticristo. Seu domínio é limitado (v. 25). O anticristo é limitado quanto ao tempo e quanto ao poder. Ele não tem poder, este lhe é dado. Ele só pode ir até onde Cristo lhe permite ir. Ele pode tirar a vida dos santos, mas não fazer deles seus seguidores. Seu tempo de ação não é eterno. Um dia Cristo dirá: basta! Assim ele será destruído e lançado no lago de fogo.

O domínio do anticristo também é tirado (v. 12, 25,26). O domínio é tirado dos quatro reinos (v. 12) e também, do anticristo (v. 26). O anticristo não pode resistir Àquele que lhe tira o domínio. Ele é um inimigo limitado quanto ao tempo (v. 25) e limitado quanto ao poder (v. 26).

O domínio do anticristo é destruído (v. 11,26). Ele será destruído pelo fogo (v. 11). Ele será lançado no lago de fogo (Ap 19.20). Ele será destruído pela manifestação da vinda de Cristo (2Ts 2.8). O Trono santo, justo e vitorioso de Deus é descrito (v. 8-11). O mesmo Deus que é o deleite dos remidos, (v. 10) é o terror dos ímpios (v. 10,11). O Tribunal do Céu removerá o anticristo e todo seu poder. O mal pode afigurar-se onipotente, mas isso é uma ilusão. O poder absoluto pertence a Deus. A culminação da história não será o triunfo do mal, mas o triunfo de Cristo e de sua igreja (v. 27).

O reino de Cristo

O Reino de Deus é eterno, jamais passará. Várias verdades merecem ser destacadas sobre o Reino de Cristo. Em primeiro lugar, o Reino de Cristo está presente, mas ainda não em sua plenitude (Dn 7.13,14). Anthony Hoekema fala da tensão entre o JÁ e o AINDA NÃO do Reino de Cristo. Deus está no trono (v. 9). Seu trono exerce juízo desde agora, pois Seu trono é como um rio de fogo (v. 10). Aquele que está no trono é adorado e servido por milícias celestiais (v. 10). Mas a plenitude do Reino de Cristo se dará apenas em sua segunda vinda (v. 13,14).

Em segundo lugar, o Reino de Cristo será universal (Dn 7.14). Os povos, nações e homens de todas as línguas servirão a Jesus (v. 14). Diante dEle todo joelho se dobrará (Fp 2.9-11). Não haverá um centímetro sequer do universo que não se renderá ao governo absoluto de Cristo.

Em terceiro lugar, o Reino de Cristo será eterno (Dn 7.14). Todos os reinos do mundo cairão. O reino do anticristo também cairá. Mas o Reino de Cristo será eterno, indestrutível e vitorioso. Os grandes impérios ruirão As grandes potências mundiais cairão. Todo o sistema do mundo entrará em colapso, mas o Reino de Cristo é indestrutível.

Em quarto lugar, o Reino de Cristo prevalecerá sobre todos os reinos do mundo (Dn 7.26,27). Cristo é o grande juiz que se assentará no trono. Seu tribunal é o grande trono branco (Ap 20.11). Cristo, em Sua segunda vinda, tirará o domínio do anticristo e o destruirá. Todos os reinos do mundo serão do Senhor e de Seu Cristo. Ele porá todos Seus inimigos debaixo de Seus pés. O Reino de Cristo é conquistador, vitorioso e irresistível. O Reino de

DANIEL – Um homem amado no céu

Cristo é a pedra lavrada não por mãos que toca na estátua, símbolo dos reinos do mundo, e a transforma em pó. O Reino de Cristo encherá toda a terra (Daniel 2).

Em quinto lugar, o Reino de Cristo será partilhado com os santos (Dn 7.18,22,27). A igreja não apenas estará no céu, mas também em tronos.[78] Ela não apenas servirá ao Rei, mas também será co-regente com o Rei. Não apenas seremos glorificados, mas também exaltados. A igreja receberá o reino eternamente. Quando Cristo voltar a igreja estará para sempre com Ele, em uma festa que não terá fim (v. 18). A mesma igreja mártir será a igreja honrada (v. 22). O Reino de Cristo dado à igreja é um reino universal (v. 27).

As profundas implicações dessa batalha espiritual devem provocar um grande impacto em nós (Dn 7.15,28). Daniel ficou alarmado e perturbado diante dos dramas da história que haveriam de se desenrolar (v. 15). Seu rosto empalideceu (v. 28). Daniel ficou perplexo ao ver essa invasão do mal na história e a devastação que ele opera. Não deveríamos nós também nos alarmar? Estamos anestesiados até o ponto de perder a sensibilidade? Não deveríamos ter a mesma sensação de Daniel? Mesmo que o mal já esteja derrotado e que seus agentes já estejam com sua condenação lavrada, não deveríamos nós, à semelhança de Daniel, ficar também alarmados?

A presença das forças do mal na história deve nos levar à oração, ao jejum e à vigilância. As forças derrotadas do mal ainda não foram destruídas. Elas têm um grande potencial de provocar devastação e tragédia. Precisamos enfrentar essas forças do mal com oração, jejum e vigilância. Apocalipse 12 nos diz que o dragão foi expulso do céu, mas ele desceu à terra com grande cólera. A terra

Os reinos do mundo e o reino de Cristo

passa grandes aflições. Nosso inimigo está encolerizado. Ele agirá terrivelmente até o dia em que for lançado no lago de fogo. O mal que deprimia Daniel permanece até hoje.[79] Não importa, porém, o que está à frente, Deus está no trono. Seu trono é um rio de fogo. Os inimigos que oprimem a igreja serão julgados e condenados. O noivo da igreja vai voltar e nos dar Seu Reino eterno e glorioso.

Notas do capítulo 9

[52] Edward J. Young. The Prophecy of Daniel. Eerdmans. Grand Rapids, Michigan. 1949: p. 141.

[53] José Grau. Las Profecías de Daniel. Ediciones Evangélicas Europeas. Barcelona. 1977: p. 119.

[54] Evis Carballosa. Daniel y el reino mesiánico, Publicaciones Portavoz Evangélico. Grand Rapids, Michigan. 1979: p. 148.

[55] Osvaldo Litz. A estátua e a pedra, p. 80.

[56] Osvaldo Litz. A estátua e a pedra, p. 82.

[57] Osvaldo Litz. A estátua e a pedra, p. 82.

[58] Osvaldo Litz. A estátua e a pedra, p. 82.

[59] Jeremias 4.7.

[60] Osvaldo Litz. A estátua e a pedra, p. 83.

[61] Evis Carballosa. Daniel y el reino mesiánico, p. 152.

[62] Osvaldo Litz. A estátua e a pedra, p. 84.

[63] Evis Carballosa. Daniel y el reino mesiánico, p. 153,154.

[64] Evis Carballosa. Daniel y el reino mesiánico, p. 154.

[65] Evis Carballosa. El Dictador del Futuro. Publicaciones Portavoz Evangélico. Barcelona?. 1978: p. 27-35.

[66] Apocalipse 13.18.

[67] Daniel 7.8.

[68] 1João 2.22.

[69] 1João 2.18

[70] Apocalipse 13.1.

[71] 2Tessalonicenses 2.3.

[72] 2Tessalonicenses 2.8.

[73] 2Tessalonicenses 2.3

[74] Mateus 24.15-28.

[75] Apocalipse 13.2.

[76] Daniel 7.8.

[77] Edward J. Young. The Prophecy of Daniel. Eerdmans. Grand Rapids, Michigan. 1949: p. 147.

[78] Apocalipse 4.4; 11.16.

[79] Ronald S. Wallace. A Mensagem de Daniel. Editora ABU. São Paulo, SP. 1985. p. 141,142.

Capítulo 9

Ascensão e queda dos reinos do mundo

(Daniel 8.1-27)

ESTE CAPÍTULO 8 é paralelo aos capítulos 2 e 7 de Daniel. A visão que Daniel teve, contudo, não é um sonho como o registrado no capítulo 7. Daniel foi transportado em espírito até Susã e isso através do tempo. Deus transportou Daniel a Susã não fisicamente, mas em espírito.

O profeta Daniel nos proporciona o marco histórico em que ocorreu a visão: no terceiro ano do rei Belsazar; em Susã, capital do reino da província de Elão e junto ao rio Ulai. Leon Wood entende que Daniel não esteve fisicamente em Susã, mas foi apenas transportado em espírito nessa visão.[80]

DANIEL – Um homem amado no céu

Susã era uma cidade importante mesmo depois da queda da Babilônia, em que os reis medo-persas residiam por três meses ao ano.

A visão se refere ao tempo do fim (v. 17), ao tempo determinado do fim (v. 19), e a dias ainda muito distantes (v. 26). A visão é profética. É recebida no período da grande Babilônia e aponta para o surgimento e queda de dois grandes impérios: medo-persa e grego.

A visão fala do surgimento de um rei que é o protótipo do anticristo escatológico (o pequeno chifre). Esse pequeno chifre do capítulo 8 é diferente do pequeno chifre do capítulo 7. O capítulo 7 fala do anticristo escatológico que emerge do quarto reino (o império romano). O pequeno chifre do capítulo 8 emerge dos quatro reis oriundos da queda do grande rei grego, Alexandre Magno. Este pequeno chifre é o maior protótipo do anticristo escatológico.

Daniel ficou amedrontado e prostrado diante da visão de Gabriel, o agente de Deus, que lhe revelou a interpretação da visão (v. 17). Ele caiu sem sentidos, rosto em terra, quando Gabriel falou com ele. Aqui não se trata do esplendor do anjo, mas do conteúdo da revelação divina acerca da queda da Babilônia. Daniel ficou fraco e enfermo diante dos fatos futuros que haveriam de vir. Essa visão prova que Deus é quem dirige a história. Ele está no comando.

A visão do carneiro (Dn 8.3,4,20)

Daniel descreve o carneiro de três maneiras distintas. Em primeiro lugar, fala que ele tem dois chifres (Dn 8.3,20). Essa é uma descrição do império medo-persa que se levantaria para conquistar a Babilônia. Na mesma noite em que o rei Belsazar fazia uma festa e zombava dos

Ascensão e queda dos reinos do mundo

vasos do templo, a Babilônia caiu nas mãos dos medo-persas. Osvaldo Litz diz que o carneiro persa derrotou o império babilônico e tornou-se o senhor do mundo. Não só venceu seus vizinhos, mas conquistou seus territórios, formando um novo império mundial.[81]

O chifre mais alto é uma descrição do poder prevalecente dos persas na liderança do império. Ciro, o persa, tomou o lugar de Dario, o medo. Em 550 a.C., Ciro tomou o controle da Média. Assim, se cumpriu a profecia. O carneiro persa derrotou a Babilônia e, por algum tempo, tornou-se senhor do mundo.[82] Mas Daniel viu sua ascensão e queda 210 anos antes do fato acontecer.

Em segundo lugar, Daniel diz que tal carneiro é irresistível (Dn 8.3,4). A união dos medos e persas em um só império criou um exército poderoso que conquistou territórios para o oeste (Babilônia, Síria e Ásia Menor), ao norte (Armênia) e ao sul (Egito e Etiópia). Evis Carballosa diz que nenhum exército existente naqueles tempos tinha a força ou a capacidade necessárias para deter o avanço dos medo-persas.[83]

Em terceiro lugar, Daniel diz que o carneiro engrandeceu-se (Dn 8.4). Nenhum exército naqueles dias podia resistir ou deter o avanço do reino medo-persa. Isso levou esse reino a tornar-se opulento, poderoso e cheio de soberba. Por isso, engrandeceu-se, e aí estava a gênese de sua queda.

A visão do bode (Dn 8.5-8,21)

O bode é uma descrição profética acerca de um dos maiores líderes políticos da história, Alexandre Magno. Daniel elenca quatro fatos a seu respeito. Em primeiro lugar, fala da rapidez de suas conquistas (Dn 8.5, 21). Esse

DANIEL – Um homem amado no céu

bode representa o império grego (v. 21). As conquistas de Alexandre foram extensas e rápidas. Osvaldo Litz afirma que em apenas treze anos Alexandre conquistou todo o mundo conhecido de sua época.[84]

O império medo-persa foi desmantelado, dando lugar ao império grego. Em 334 a.c., Alexandre cruzou o estreito de Dardanelos e derrotou os sátrapas. Pouco tempo depois, venceu Dario III na batalha de Issos (333 a.C.). Em 331, venceu o grosso das forças medo-persas na famosa batalha de Gaugamela.[85]

Em segundo lugar, Daniel fala do poder desse líder (Dn 8.5). Alexandre é descrito como *o chifre notável*. Foi um líder forte, ousado e guerreiro. Era um homem irresistível, um líder carismático, com punho de aço.

Em terceiro lugar, Daniel fala dos triunfos de Alexandre sobre o império medo-persa (Dn 8.6,7). O poderio e a força de Alexandre são descritos na maneira como enfrentou o carneiro: 1) fere-o; 2) quebra seus dois chifres; 3) derruba-o na terra; e 4) pisoteia-o.

Em último lugar, Daniel fala do engrandecimento e queda de Alexandre e seu reino (Dn 8.8). "O engrandecimento de um império é ao mesmo tempo prelúdio de sua queda e decadência. Quanto mais se aproxima do auge de seu poder, tanto mais perto está também de seu fim".[86] A Grécia não foi uma exceção (v. 8).

O versículo 8 profetiza a morte inesperada de Alexandre Magno na Babilônia, em 323 a.C., exatamente quando ele queria reconstruir a cidade da Babilônia, contra a palavra profética de que a cidade jamais seria reconstruída. Com sua morte, o império grego foi dividido em quatro partes entre quatro reis: a Casandro couberam a Macedônia e a Grécia, no ocidente. Lisímaco governou a Trácia e a

Bitínia, no norte. Ptolomeu governou a Palestina, a Arábia e o Egito, no sul. Selêuco governou a Síria e a Babilônia, no oriente.

Após a morte de Alexandre e a divisão de seu reino entre esses quatro generais (v. 8,22), o grande império grego desintegrou-se e enfraqueceu-se.

A profecia acerca de Alexandre cumpriu-se literalmente, duzentos anos depois da profecia dada a Daniel.

A visão do pequeno chifre

Daniel passa a falar sobre um pequeno chifre diferente daquele descrito no capítulo 7. Esse é apenas um protótipo daquele. Vejamos como ele é descrito: em primeiro lugar, Daniel fala sobre sua procedência (Dn 8.8,9,22). O pequeno chifre do capítulo 8 não deve ser confundido com o pequeno chifre do capítulo 7.8. A origem do 7.8 é o quarto império (o império romano). A origem do 8.9 é o bode, o terceiro reino: o império grego.

O pequeno chifre do capítulo 8 é um personagem futuro e profético para Daniel, mas para nós, um personagem do passado, enquanto o pequeno chifre do capítulo 7.8 é um personagem escatológico para Daniel e para nós.

O pequeno chifre de Daniel 8.9 é o principal precursor do anticristo escatológico. Principal porque muitos anticristos precursores do anticristo escatológico já passaram pelo mundo (1Jo 2.18), mas nenhum reuniu em si tantas características como esse de Daniel 8.9.[87]

Esse pequeno chifre do capítulo 8 é o rei selêucida Antíoco IV, chamado de Antíoco Epifânio, que reinou na Síria entre 175 a 163 a.C.

Em segundo lugar, Daniel fala sobre sua megalomania (Dn 8.11,25). Em seu coração ele se engrandeceu. Antíoco declarou ser deus. Mandou cunhar moedas que de um lado tinham sua efígie e do outro as palavras: "Do rei Antíoco, o deus tornado visível que traz a vitória".[88]

Em terceiro lugar, Daniel fala sobre sua truculência (Dn 8.9,10). Alguns imperadores romanos identificaram-se com o anticristo escatológico, tais como Nero e Domiciano, por exigirem adoração de seus súditos. Hitler foi identificado com ele por sua feroz perseguição aos judeus. Outros governadores antigos e contemporâneos por perseguirem os cristãos como nos regimes totalitários e comunistas. Mas ninguém se assemelhou tanto ao anticristo escatológico como Antíoco Epifânio.[89]

Esse rei selêucida foi um feroz perseguidor dos judeus (Dn 8.24). Porque os fiéis judeus não se prostravam diante dos ídolos foram duramente perseguidos por ele. Calcula-se que cem mil judeus foram mortos por ele. O anticristo escatológico também será implacável em sua perseguição aos cristãos (Ap 13.15).

Em quarto lugar, Daniel fala acerca de sua blasfêmia (Dn 8.23-25). Ele será um usurpador. Como o anticristo quererá usurpar o lugar de Cristo, Antíoco também foi um usurpador. No seu tempo, a Palestina pertencia ao Egito dos ptolomeus. Mas ele, astuciosamente, aproveitou-se da divergência entre os judeus que estavam divididos em dois partidos, e levou-os a se aliarem a ele, rompendo com o Egito (Dn 8.23-25). Quando os judeus se aliaram a ele, logo os explorou e os perseguiu cruelmente até a morte.[90]

O anticristo imporá uma única religião em seu reino e perseguirá e matará os que não se conformarem a ele (Ap 13.12,15). Antíoco fez isso em seu reino. A posse do Livro Sagrado, o Antigo Testamento, e a observância da lei de

Ascensão e queda dos reinos do mundo

Deus eram punidas com a morte. Muitos judeus foram mortos por se manterem fiéis a Deus. Ele se levantará em tempo de grande apostasia. Como a apostasia do período do fim abrirá a porta para o anticristo (2Ts 2.3,4), também muitos judeus haviam se afastado da lei de Deus e adotado costumes dos gentios (Dn 8.12,23). Deus castigou Israel por causa de seus pecados. Quando no fim dos tempos a humanidade estiver suficientemente corrompida, ela estará pronta para receber o anticristo.

Antíoco fez cessar os sacrifícios na Casa de Deus e profanou o templo. Em 169 a.c., ele saqueou o templo e proibiu os sacrifícios (Ap 13.5). Por ordem de Antíoco, o templo foi profanado da maneira mais vil, indecente e imoral. O santuário de Jerusalém foi chamado de TEMPLO DE JÚPITER OLÍMPICO. Ele profanou o templo ainda quando colocou a própria imagem no lugar santíssimo e mandou matar sobre o altar um porco e borrifar o sangue e o excremento pelo santuário, obrigando os judeus a comerem a carne do porco, dentro do templo, sob ameaça de morte. Mandou ainda edificar altares e templos dedicados aos ídolos, sacrificando em seus altares porcos e reses imundas.[91] O livro de Macabeus descreve a soberba e a perversidade de Antíoco na profanação do templo de Jerusalém:

> E entrou cheio de soberba no santuário, e tomou o altar de ouro, e o candeeiro dos lumes, e todos os seus vasos, e a mesa da propiciação, e as bacias, e os copos, e os grais de ouro, e o véu, e as coroas, e o ornamento de ouro, que estava na fachada do templo: e quebrou tudo [...] E fez grande matança de homens, e falou com grande soberba.[92]

DANIEL – Um homem amado no céu

Dessa forma, esse rei tornou-se o maior protótipo do anticristo (Dn 9.27; Ap 13.5; 2Ts 2.3,4). Ele blasfemou contra Deus, contra o culto e contra o povo de Deus. Por fim, Daniel descreve sua derrota (Dn 8.25). Antíoco foi derrotado sem o auxílio de mãos humanas. Ele foi morto não em combate, mas por uma súbita doença quando tentava saquear o templo de Diana, em Elimaida, na Pérsia. O segundo livro de Macabeus diz que sua morte foi das mais horrorosas.

A queda do anticristo será assim também. Não será morto num combate humano, mas pela manifestação da vinda de Cristo (2Ts 2.8), o Cordeiro de Deus exaltado em todo o universo (Ap 5.12,13).

NOTAS DO CAPÍTULO 9

[80] Leon Wood. A Commentary on Daniel. Zondervan. Grand Rapids, Michigan. 1973: p. 207.

[81] Osvaldo Litz. Ouse ser firme. O livro de Daniel, JUERP. Rio de Janeiro, RJ. 1985: p. 108.

[82] Evis Carballosa. Daniel y el reino mesiánico, Publicaciones Portavoz Evangélico. Grand Rapids, Michigan. 1979: p. 179.

[83] Evis Carballosa. Daniel y el reino mesiánico, p. 179.

[84] Osvaldo Litz. Ouse ser firme. O livro de Daniel, p. 108.

[85] Evis Carballosa, Daniel y el reino mesiánico, p. 180.

[86] Osvaldo Litz. Ouse ser firme. O livro de Daniel, p. 108.

[87] Osvaldo Litz.Ouse ser firme. O livro de Daniel, p. 109.

[88] Osvaldo Litz. Ouse ser firme. O livro de Daniel, p. 112.

[89] Osvaldo Litz. Ouse ser firme. O livro de Daniel, p. 110.

[90] Osvaldo Litz. Ouse ser firme. Olivro de Daniel, p. 111.

[91] 1Macabeus 1.50.

[92] 1Macabeus 1.23,25.

Capítulo 10

Se Deus já decretou, por que orar?

(Daniel 9.1-19)

Uma das perguntas mais freqüentes que ouço é: se Deus já decretou todas as coisas, se Ele já sabe de antemão tudo que vai acontecer, por que orar? A Bíblia tem muito a nos ensinar sobre essa questão: Jonas pregou sobre a destruição de Nínive, o povo se converteu e Deus suspendeu o mal e poupou o povo. Abraão orou por Sodoma, e quando Deus estava destruindo a cidade, lembrou-se de Abraão e salvou Ló. O Pentecostes foi prometido, mas os discípulos o aguardaram em unânime e perseverante oração. Jesus prometeu que voltará para buscar à Sua igreja e a Bíblia nos ensina a orar: Vem, Senhor Jesus!

DANIEL – Um homem amado no céu

Daniel leu nos livros que o cativeiro do povo duraria setenta anos, mas ele se pôs na brecha da oração em favor do povo.

Essa oração de Daniel é uma das mais importantes da Bíblia. Temos aqui várias lições:

Os pressupostos da oração (Dn 9.1,2)

Em 586 a.C., Nabucodonozor havia levado Judá para o cativeiro. Daniel foi levado para a Babilônia aos 14 anos. Agora ele tem 82 anos. Encontramo-nos no ano 536 a.C., o primeiro de Dario, o medo. Daniel orou quando era adolescente (Dn 1), orou com seus amigos (Dn 2.17,18), orava três vezes ao dia com as janelas abertas para Jerusalém. Daniel aqui, no capítulo 9, ora. O decreto de Deus era que o cativeiro seria de setenta anos, mas a determinação de Deus passaria pela oração de quebrantamento do Seu povo. Aqueles anos de cativeiro ainda não tinham trazido quebrantamento ao povo. O sofrimento não o fizera voltar-se para Deus. Daniel não se sentiu desanimado de orar por causa do decreto, ao contrário, ficou mais encorajado para fazê-lo.

Daniel permaneceu firme naqueles 68 anos de cativeiro. Foi provado, mas nunca sucumbiu ao pecado. Algumas vezes, preferiu a morte a pecar contra Deus, e Deus o honrou. A Babilônia caiu, mas Daniel continuou em pé. Agora, no império medo-persa é o segundo homem mais importante. Nem as provações nem a promoção o corromperam.

Daniel foi um homem dedicado ao estudo da Palavra de Deus. Nesse capítulo vemos Daniel estudando os livros. Daniel tinha visões, mas nunca abandonou a Bíblia. Ele examinava os rolos do Livro de Jeremias, quando descobre o profeta falando do cativeiro e da libertação (Jr 25.8-11;

29.10-14). A vida de Daniel é construída sobre esses dois pilares: a oração e a Palavra.

Ronald Wallace comenta acerca da influência da Palavra de Deus sobre o povo no cativeiro babilônico da seguinte maneira:

"Para toda a comunidade da Babilônia foram os livros que conservaram sua tradição, sua teologia e sua adoração íntegras, vivas e fiéis. Eles não tinham templo algum. Havia, com certeza, algumas vozes proféticas vivas que lhes podiam trazer uma palavra direta e nova da parte do Senhor. Sua principal inspiração, porém, vinha do estudo, leitura e interpretação das Sagradas Escrituras".[93]

Foi nesse período do cativeiro que surgiram as sinagogas, locais em que os judeus se reuniam para estudar a lei de Deus. Desde essa época, as sinagogas exercem um papel fundamental na vida religiosa do povo judeu. Jesus e Seus apóstolos freqüentavam as sinagogas, e elas foram estrategicamente fundamentais no processo de evangelização em todo o mundo.

A preparação para a oração (Dn 9.3)

Daniel, em sua preparação para a oração, nos ensina quatro coisas importantes: em primeiro lugar, uma busca intensa. Ele voltou o rosto para o Senhor. Isso demonstra a intensidade de sua oração. Ele tinha vida de oração metódica e regular, mas agora esse homem se concentra em oração.

Em segundo lugar, um clamor fervoroso. Daniel ora e suplica. O decreto de Dario o leva a ser mais enfático em sua oração e clamor.

Em terceiro lugar, uma urgência inadiável. Daniel ora e jejua. Quem jejua tem pressa. Quem jejua não pode protelar. Daniel tem urgência em seu clamor. Faltam apenas mais dois anos para o cumprimento da profecia e ele não vê em seu povo o quebrantamento necessário. Ele sabe que a profecia passa pelo arrependimento do povo. Por isso, ora com tanta urgência.

Em quarto lugar, um quebrantamento profundo. Ele se humilha. Veste-se com pano de saco e cinza. Ele era um homem do palácio, mas despoja-se de sua posição.

Os atributos da oração (Dn 9.4-19)

A oração feita por Daniel contém os pontos mais importantes de uma oração. Ele começa adorando a Deus (Dn 9.4). Daniel se aproxima de Deus com santa reverência. Sua oração não era daquele tipo que chama Deus de *paizinho,* tão popular hoje, que descreve intimidade na verbalização, mas distância na comunhão. Daniel tinha intimidade com Deus, mas reconhecia a majestade e a grandeza de Deus diante de quem os serafins cobrem o rosto. Confiança filial não é inconsistente com profunda reverência. Daniel adora a Deus por causa de sua fidelidade ao pacto. Ele pode confiar em Deus por saber que Deus é fiel a Sua Palavra. Daniel adora a Deus também por causa de Sua misericórdia e prontidão em perdoar (Dn 9.4,9).

Daniel, depois de adorar a Deus, é tomado por profunda contrição, faz confissão de seus pecados e dos pecados do povo (Dn 9.5-15). Quais foram as características da sua confissão? Em primeiro lugar, Daniel fez uma confissão coletiva (v. 7,8). Daniel compreendeu que ele, os líderes de seu povo e o povo pecaram contra Deus. Aqui não há justificativa nem transferência de culpa. Todos pecaram. Todos são

Se Deus já decretou, por que orar?

culpados: os líderes e o povo. Deus falou, e eles não ouviram. Deus ordenou, e eles não obedeceram. Deus fez grandes maravilhas, e eles não agradeceram. Em segundo lugar, Daniel faz uma confissão específica (v.5,6). Ele não faz confissões genéricas: Daniel usa vários termos para expressar o pecado do povo: pecado, iniqüidade, procedimento perverso, rebeldia, desvio dos mandamentos e juízos (v. 5), desobediência (v. 10), transgressão da lei (v. 11) e procedimento perverso (v. 15).

Em terceiro lugar, Daniel faz uma confissão sincera (v. 7,14). Daniel está corado de vergonha. Ele sabe que os males que vieram sobre o povo foram provocados pela desobediência e rebeldia do povo. O pecado traz opróbrio, vergonha, dor, humilhação e derrota. Daniel reconhece que as aflições do povo são por causa de seu pecado, e, por isso, Deus é justo em castigar seu povo (v. 11). Daniel entende que o mal veio sobre o povo por causa de seu pecado (v. 11-13). Deus já havia alertado o povo sobre esse perigo. Mas a despeito da maldição vir, do mal chegar, o povo ainda não havia se quebrantado. O povo não tinha atendido nem mesmo à voz do chicote de Deus.

Em último lugar, Daniel, em sua confissão, reconhece a ingratidão do povo (v. 15). Deus tirara Israel do Egito com mão forte e poderosa. Realizara tantos milagres e providências em sua vida e o engrandecera aos olhos das nações. Mas Israel, em vez de agradar a Deus, rebelou-se contra Ele.

Depois de confessar seus pecados e os pecados do povo, Daniel faz súplicas a Deus (Dn 9.16-19). Seus pedidos são específicos (v. 16-18): Daniel pediu por

Jerusalém e pelo monte santo (v. 16). Pediu pelo templo assolado (v. 17) e pela cidade que é chamada pelo nome de Deus (v. 18).

Seus pedidos são urgentes (v. 19). Daniel tem pressa. Ele não pode esperar. Ele pede a Deus urgência na resposta.

Seus pedidos são importunos (v. 15-19). No versículo 15 ele diz: "Já fizeste grandes coisas por este povo, não o farás de novo? Não peço algo novo, mas o que já fizeste no passado". No versículo 16 Daniel diz: "É a tua cidade. É o teu monte santo. Não deverias, portanto, fazer algo por eles? É o teu povo que está sendo desprezado". Ficará Deus impassível? No versículo 17 Daniel diz: "O teu santuário é o único lugar que escolheste para tua habitação. Deixarias tu este lugar desolado para sempre?". No versículo 18 Daniel diz: "É a cidade chamada pelo teu nome". O apelo de Daniel não é para que Deus simplesmente liberte Seu povo, mas que o faça por amor de Seu nome. É a glória do nome de Deus que está em jogo. Não é simplesmente por causa do povo, ele não o merece. É por causa do nome de Deus! A desolação refletirá no caráter de Deus. As pessoas poderão questionar Seu poder e Sua bondade. Se Deus não agir, Seu nome será blasfemado.[94] No versículo 19 a oração alcança seu ápice: "Ó Senhor, ouve; ó Senhor, perdoa; ó Senhor, atende-nos e põe mãos à obra sem tardar, por amor de ti mesmo, ó Deus meu, porque a tua cidade e o teu povo se chamam pelo teu nome".

Quando foi a última vez que você orou assim? Esse é o tipo de oração que Deus ouve. Precisamos conhecer as promessas de Deus e orar por elas dessa forma. Quando um remanescente ora dessa forma a história é mudada.

Seus pedidos são cheios de clemência (v. 19). Daniel não pede justiça, mas misericórdia. Ele pede perdão. Ele não pede por amor ao povo, mas por amor a Deus. Seus pedidos são fundamentados na misericórdia (v. 18). A oração verdadeira é sempre marcada por profunda humildade. Nossas orações devem ser fundamentadas não na justiça humana, mas na misericórdia divina. Não nos méritos do homem, mas no nome de Jesus.

NOTAS DO CAPÍTULO 10

[93] Ronald S. Wallace. *A mensagem de Daniel,* Editora ABU. São Paulo, SP. 1985: p. 155.

[94] Stuart Olyott. *Ouse ser firme. O livro de Daniel,* Editora Fiel. São José dos Campos, SP. 1996: p. 137.

Capítulo 11

A oração que move o céu

(Daniel 9.20-27)

No CAPÍTULO 9, Daniel fez uma grande descoberta ao examinar Jeremias 29.10-14. Ele descobre que o cativeiro babilônico teve a duração de setenta anos. Também no capítulo 9, Daniel faz uma grande oração, em que adorou a Deus, faz confissão do seu pecado e dos pecados do povo e pede a Deus a restauração de sua cidade.

Finalmente, Daniel, no capítulo 9, recebe uma grande revelação, acerca das setenta semanas que haveriam de vir sobre seu povo. Examinaremos o texto de Daniel 9.20-27 e veremos alguns aspectos importantes da oração que move o céu.

DANIEL – Um homem amado no céu

É uma oração respondida prontamente pelo céu (Dn 9.20-23)

A resposta de Deus a Daniel foi pronta e imediata (v. 20,21). Ele pediu urgência na resposta a sua oração (Dn 9.19) e somos informados que enquanto Daniel orava, a resposta chegou (Dn 9.20,21). Esta é a promessa de Deus: "E acontecerá que, antes de clamarem eles, eu responderei; e estando eles ainda falando, eu os ouvirei" (Is 65.24). Gabriel informou a Daniel que logo que ele começou a orar, Deus já despachou seu pedido.

A resposta de Deus veio por intermédio de um anjo (v. 21). O anjo Gabriel é o mensageiro de Deus[95] que assiste diante de Deus. Os anjos são espíritos ministradores em favor dos salvos.[96] Eles confortaram a Jesus no deserto e no Getsêmani.[97] Ezequias orou e um anjo derrotou os exércitos da Assíria.[98] Cornélio orou e um anjo o orientou para enviar um mensageiro a Pedro.[99] A igreja de Jerusalém orou e um anjo foi enviado à prisão para libertar Pedro.[100] Eliseu orou para que Deus abrisse os olhos do seu moço a fim de ver a hoste de anjos que estava acampada ao seu redor.[101]

A resposta de Deus transcendeu o pedido de Daniel (v.20). Ele pediu pela cidade e Deus em resposta, revelou acerca do próprio Messias que viria, trazendo gloriosos benefícios (Dn 9.24,25). Deus dá mais do que pedimos. Ele pode fazer infinitamente mais do que pedimos ou pensamos.[102] Daniel orava apenas pela restauração da cidade de Jerusalém (Dn 9.20), mas a resposta de Deus tratou de coisas mais profundas: não apenas da restauração física da cidade, mas da salvação eterna do Seu povo.

A oração que move o céu

É uma oração feita por alguém amado no céu (Dn 9.23)

Porque Daniel era amado no céu, foi ouvido rapidamente. A resposta é dada de pronto porque Daniel é um homem muito amado (v. 23). Sabemos que Deus responde nossas orações por causa de Suas muitas misericórdias e não por nossos méritos (Dn 9.18). Entretanto, a Bíblia diz que o sacrifício dos perversos é abominação ao Senhor, mas a oração dos retos é seu contentamento.[103] O altar está ligado ao trono. Se há iniquidade no coração, Deus não nos ouve.[104] Daniel era amado no céu e na terra, por isso, sua oração foi prontamente ouvida. Sua piedade moveu rapidamente o céu. A graça de Deus nos torna amados no céu.

Daniel era amado no céu, porque viveu piedosamente desde sua juventude. Ele enfrentou os perigos e desafios da vida, mantendo-se íntegro ao seu Deus. Ele andou com Deus na juventude e na velhice, como jovem escravo e como primeiro ministro da Babilônia. Ele foi fiel a Deus na pobreza e na riqueza, na humilhação e na promoção.

Daniel era amado no céu porque tinha intimidade com Deus. Ele era um homem de oração: orava sistematicamente e também nas horas em que estava ameaçado de morte. Orou confessando os pecados de seu povo e também pedindo livramento para ele. Porque tinha intimidade com Deus, prevaleceu na oração.

É uma oração que recebe uma grande revelação do céu (Dn 9.24-27)

Daniel recebe várias revelações estupendas e maravilhosas da parte de Deus. As janelas do futuro foram abertas para ele. Que tipo de revelação ele recebeu?

Em primeiro lugar, revelação sobre a Pessoa do Messias prometido (v. 25). O Messias é descrito como o Ungido e como o Príncipe. A palavra *ungido* é a mesma utilizada para Messias. Jesus é o Ungido de Deus. Ele é o Profeta, o Sacerdote e o Rei, o cumprimento da Lei e dos Profetas. Como Príncipe, Jesus é o Rei dos judeus, o Príncipe da Paz, o Rei dos reis, o Rei da glória, o Salvador do mundo. Seu nascimento foi prometido no Éden[105], a Abraão[106], por meio de Jacó[107] e de Moisés.[108] Ele é o Filho de Davi, o Deus forte, apontado por Isaías, que nasceria em Belém, segundo a profecia de Miquéias.

Em segundo lugar, Daniel recebe revelação sobre a obra do Messias (v. 24). O Messias veio trazer a solução definitiva para o problema do pecado. "Fazer cessar a transgressão, para dar fim aos pecados, e para expiar a iniqüidade" revelam apenas uma coisa. A morte de Cristo na cruz em nosso lugar, em nosso favor, nos justifica diante de Deus. Somos reconciliados com Deus e declarados justos diante dEle. Agora temos perdão dos pecados. O sacrifício de Cristo satisfez plenamente a justiça divina.

O Messias veio trazer justiça eterna para o povo de Deus. O evangelho traz mais que perdão de pecados, ele nos deixa limpos e aceitáveis diante de Deus. A justiça perfeita do Messias foi imputada a nós. Fomos justificados. Temos aqui a justiça imputada e a justiça implantada.

O Messias veio trazer o cumprimento da profecia. No nascimento, vida, morte, ressurreição, governo e segunda vinda de Cristo as visões e as profecias se cumprem. Tudo o que os profetas apontaram, cumpre-se nEle. Cristo é o fim da lei.[109]

O Messias veio trazer o sacerdócio universal dos crentes. Agora, todos temos acesso à presença de Deus. O santo dos santos é ungido e o véu do templo rasgado e todos os crentes tornam-se sacerdotes reais. Nós somos o santo dos santos em que Deus habita. Somos o santuário de Deus, ungido por Deus, para o serviço de Deus.

Em terceiro lugar, Daniel recebe revelação sobre a rejeição do Messias (v. 26). O Messias será morto (v. 26). Ele veio para morrer. Ele é o Messias sofredor antes de ser o Messias vencedor. Ele é o mais rejeitado entre os homens. Ele é homem de dores. Ele foi transpassado pelas nossas transgressões e moído pelas nossas iniqüidades. Ele morreu pelos nossos pecados. Ele foi rejeitado pelos homens, desamparado pelo céu. Ele se fez pecado e maldição por nós. Ele bebeu o cálice da ira de Deus por nós.

Daniel recebe uma clara revelação acerca da destruição da cidade de Jerusalém (v. 26). Jesus chorou sobre a cidade de Jerusalém, porque ela não reconheceu o tempo da sua visitação (Lc 19.41-44). Tito Vespasiano cercou a cidade, destruiu o templo e dispersou o povo. Tudo isso porque o povo rejeitou o Messias. Mais graves conseqüências terão aqueles que hoje ainda rejeitam o Messias, eles serão banidos para sempre da face do Senhor. Quantas desolações o povo judeu sofreu durante a história por ter rejeitado o Messias! A rejeição trouxe e traz conseqüências muito amargas no presente e na eternidade.

Daniel recebe revelação sobre o triunfo do Messias (v. 27). O pacto é confirmado. Jesus selou essa aliança eterna com seu sangue: "Pois isto é o meu sangue, o sangue do pacto, o qual é derramado por muitos para remissão dos pecados" (Mt 26.28). Chega o fim dos sacrifícios cerimoniais. Jesus é o fim da lei. Os sacrifícios levíticos eram sombras do sacrifício perfeito e cabal de Cristo na cruz.[110]

DANIEL – Um homem amado no céu

Ele foi sacrificado uma vez por todas (Hb 7.27). Agora não há mais necessidade de rituais e oblações do Antigo Testamento. Tudo isso se consumou no evangelho. Vem, então, a derrota final do anticristo. Daniel 9.27 revela as terríveis conseqüências do abuso dos privilégios. Os judeus receberam a lei, os profetas, o pacto, o Messias e rejeitaram todos esses privilégios. Esse mesmo povo, como todos aqueles que rejeitam os privilégios da graça, sofreram e sofrerão as conseqüências dessa rejeição. Os que rejeitam o Messias, receberão o anticristo. O livro de Daniel já fez referência ao anticristo escatológico (Dn 7.25) e ao anticristo protótipo (Dn 8.9). Agora, Daniel fala do anticristo como o assolador e também profetiza sua destruição. Paulo diz que o anticristo, o homem da iniqüidade, será morto pela manifestação da vinda de Cristo (2Ts 2.8).

Em quinto lugar, Daniel recebe revelação sobre o tempo do Messias, as setenta semanas (v. 24-27). Alguns pontos aqui merecem destaque: em primeiro lugar, vejamos acerca da divisão das setenta semanas (v. 25,26). Gabriel fala a Daniel que setenta semanas estão determinadas sobre seu povo (v. 24). As setenta semanas são divididas em três períodos de sete: 1) o primeiro período de sete "setes"; 2) o segundo período de sessenta e dois "setes"; 3) o terceiro período: a septuagésima semana. Assim temos 7 + 62 + 1 = 70. O primeiro período, as sete semanas de anos, compreende o tempo que vai da saída do cativeiro babilônico à reconstrução de Jerusalém. O segundo período, as sessenta e duas semanas, descreve o tempo que vai da reconstrução de Jerusalém até Jesus. O terceiro período, a septuagésima semana, acontece no tempo da morte do Messias.

A oração que move o céu

Em segundo lugar, observemos o início das setenta semanas (v. 25). O marco para o início do primeiro período é a saída da ordem para restaurar e para edificar Jerusalém. Flávio Josefo diz que quando o rei Ciro leu a profecia de Isaías a seu respeito (Is 44.28; 45.13), ele mandou reconstruir o templo que os babilônios haviam destruído. Contudo, a ordem para reconstruir a cidade se deu em 445 a.C., no reinado de Artaxerxes (Ne 2.5-8).

Em terceiro lugar, notemos, agora a septuagésima semana propriamente dita. Essa semana é dividida em três períodos: 1) o primeiro período: 445-49 (7 semanas de anos) = 396 a.C. (da ordem de Artaxerxes à restauração de Jerusalém). Essa reconstrução, conforme relato de Neemias, foi angustiante. 2) o segundo período: 396-434 (62 semanas de anos) = 38 d.C. O ano do nascimento de Cristo foi estabelecido, por meio de cálculos, só em 525 d.C., pelo abade Dionísio Exíguo, e passou a valer como o ano 1 da era cristã. Estabeleceram-se, então, os conceitos "antes de Cristo" (a.C.) e "depois de Cristo" (d.C.) na contagem dos anos. A partir do século 17, com os recursos da astronomia, novos cálculos foram feitos e chegou-se à conclusão de que Dionísio havia se enganado por 4 a 7 anos. Assim, a rigor, o nascimento de Cristo deu-se por volta do ano 4 a.C. Dessa forma chegamos ao ministério de Cristo no período de 31 a 34 d.C. Isso está de acordo com o relato bíblico que nos informa que Cristo iniciou seu ministério aos 30 anos (Lc 3.23); e 3) o terceiro período: a septuagésima semana. Como interpretar a septuagésima semana? Duas correntes se destacam nessa interpretação:

Em primeiro lugar, vejamos o entendimento dos pré-milenistas. Eles entendem que essa septuagésima semana é um lapso de tempo entre a primeira e a segunda vinda de Cristo, o intervalo da igreja, o tempo dos gentios. Portanto, a septuagésima semana é uma lacuna profética. Os dispensacionalistas crêem que a septuagésima semana foi adiada para o fim do mundo. Isso é obviamente impossível. Gabriel indica claramente que o Messias seria morto durante aquela semana. Se a septuagésima semana foi adiada, isso significa que o Salvador ainda não morreu por nós e que ainda estamos em nossos pecados. Os dispensacionalistas acreditam que o príncipe que destruirá a cidade não é Tito, mas o anticristo. Crêem também que o "ele" do versículo 27 é o anticristo, e não Cristo. Assim, eles crêem que o templo de Jerusalém será novamente reconstruído e haverá a volta dos sacrifícios judaicos no período da grande tribulação.

Em segundo lugar, vejamos o entendimento dos amilenistas acerca dessa septuagésima semana de Daniel. Eles entendem que Cristo morreu não na sexagésima nona semana, mas depois dela, ou seja, na septuagésima semana. A corrente amilenista não crê na chamada *lacuna profética*. Não crê que a igreja é apenas um parêntesis da história. Não crê que o tempo dos gentios (Rm 11.25; Lc 21.24) faça uma distinção entre Israel e igreja. Cristo morreu na septuagésima semana, fazendo a expiação dos nossos pecados (Dn 9.26; Is 53.8). O amilenismo crê que a septuagésima semana está ligada à primeira vinda, e não à segunda vinda, visto que fala da morte do Ungido. Contudo, no versículo 27b vemos que a septuagésima semana

A oração que move o céu

estende-se a todo o período da dispensação da graça, visto que vai da morte do Ungido até o aparecimento do assolador, o anticristo.

NOTAS DO CAPÍTULO 11

[95] Daniel 8.16; 9.21; Lucas 1.19,26.
[96] Hebreus 1.14.
[97] Mateus 4.11; Lucas 23.43.
[98] 2Crônicas 32.20,21.
[99] Atos 10.4.
[100] Atos 12.5-7.
[101] 2Reis 6.17.
[102] Efésios 3.20.
[103] Provérbios 15.8.
[104] Salmos 66.18.
[105] Gênesis 3.15.
[106] Gênesis 12.3.
[107] Gênesis 49.10.
[108] Deuteronômio 18.15.
[109] Romanos 10.4.
[110] Colossenses 2.16,17.

Capítulo 12

Um intercessor amado no céu

(Daniel 10.1-21)

DANIEL É UM DOS MAIORES exemplos de oração que temos na Bíblia. Ele ora com seus amigos, e os magos são poupados da morte (Dn 2.17,18). Ele ora com as janelas abertas para Jerusalém, e Deus o livra da cova dos leões (Dn 6.10). Ele ora confessando seu pecado e os pecados do povo, pedindo a restauração do cativeiro babilônico (Dn 9.3). Agora, Daniel ora novamente em favor de sua nação (Dn 10.1-3).

Esse texto tem muitas lições importantes a nos ensinar sobre oração e jejum. Também nos fala dos reflexos que as orações da igreja produzem no céu. Esse texto ainda nos ensina grandes lições sobre batalha espiritual.

DANIEL – Um homem amado no céu

Vejamos algumas lições sobre as marcas de um intercessor amado no céu:

Recebe o fardo do seu povo sobre os ombros (Dn 10.1-3)

Daniel é um homem de lágrimas. Ele chora pelo povo (v. 2). Esse é o terceiro ano do reinado de Ciro. Daniel tem aproximadamente 84 anos, já é um ancião. Ele orou, chorou e jejuou pela libertação do cativeiro. Agora o povo está em Jerusalém, mas, sob fogo cruzado. A oposição dos samaritanos interrompeu a construção do templo.[111] O povo voltou, mas a restauração plena ainda não aconteceu. Daniel, contudo, mesmo distante, aflige sua alma e chora pelo povo. Os fardos do povo de Deus precisam pesar em nosso coração. Jamais seremos verdadeiros intercessores a não ser que sintamos o peso das aflições do povo sobre nossos ombros.

Daniel jejua e ora pelo povo (v. 3,12). Ele se abstém de alimentos. Daniel deixa por 21 dias o convívio social e se recolhe para um tempo de quebrantamento, jejum e oração em favor de sua nação. Muitos judeus preferiram ficar na Babilônia a voltar a Jerusalém. Daniel, porém, não voltou por causa de sua idade e também porque na Babilônia podia influenciar mais profundamente os reis persas. Mas durante os setenta anos de cativeiro, mesmo ocupando altos cargos, nunca se esqueceu de Jerusalém. Diariamente, orava pela cidade (Dn 6.10).

Daniel jejua e ora por duas razões: muitos judeus haviam se esquecido de Jerusalém e mostravam pouco interesse em voltar do exílio; os poucos que voltaram, enfrentavam dificuldades sem precedentes para reconstruir o templo e a cidade. Os samaritanos haviam apelado ao rei da Pérsia e a obra ficou paralisada. Parecia que os poucos que haviam retornado, fizeram-no sem um verdadeiro motivo. Parecia que tudo fora em vão.[112] Por essa razão, Daniel orava e jejuava.

Recebe especial visitação do céu (Dn 10.4-12)

Daniel recebe uma visitação angelical. O anjo que o visita é cheio de esplendor (v. 4-6). Alguns estudiosos como Stuart Olyott, Evis Carballosa e Young entendem que a descrição desse anjo é uma teofania e trata-se da segunda Pessoa de Trindade.[113] A razão apresentada é que a descrição é muito semelhante àquela apresentada em Apocalipse 1.13-17. Também entendem que só a presença de Jesus provocaria tanto impacto em Daniel, e só o Senhor pode tocar e restaurar vidas.

Outros estudiosos, porém, como Calvino, Osvaldo Litz e Ronald Wallace entendem que a descrição é mesmo de um anjo, sobretudo, porque no versículo 13 há resistência em relação a esse anjo, e ele precisa de reforço espiritual. As descrições do anjo são magníficas e muito parecidas com a aparição gloriosa de Jesus a João, na ilha de Patmos: sua vestimenta (v. 5); seu corpo (v. 6); seu rosto (v. 6); seus olhos (v. 6); seus braços (v. 6); seus pés (v. 6) e sua voz (v. 6).

Daniel, diante do esplendor do anjo, reage de três formas diferentes (v. 7-12). Em primeiro lugar, ele tem claro discernimento (v. 7). Apenas Daniel conseguiu discernir a voz do anjo. Os outros ouviram, temeram e fugiram, mas apenas Daniel compreendeu. Foi assim também com Saulo de Tarso no caminho de Damasco (At 9.7; 22.9). Apenas aqueles que vivem na intimidade de Deus discernem a voz de Deus. Houve uma irresistível

DANIEL – Um homem amado no céu

percepção do céu na terra. Ao fugirem os demais, Daniel ficou sozinho perante o anjo do Senhor.

Em segundo lugar, ele passou por profundo quebrantamento (v. 8). Quando Daniel ficou sozinho diante do ser celestial, seu corpo enfraqueceu. Daniel cai prostrado diante do fulgor do anjo. Diante da manifestação da glória de Deus os homens se prostram e se humilham. A glória de Deus é demais para o frágil ser humano suportar.

Em terceiro lugar, Daniel experimentou gloriosa consolação (v. 12). O Daniel que está prostrado ouve, agora, palavras doces e encorajadoras. Ouve que é amado no céu (v. 11). Toma conhecimento que suas orações foram ouvidas (v. 12). Ouve que o que é ligado na terra é ligado no céu. Ouve que Deus aciona Seus anjos para atender Seus filhos quando esses se põe de joelhos em oração (v. 12b). Por isso, Daniel não deve ter medo (v. 12).

Recebe resposta às suas orações (Dn 10.12,13)

A resposta à oração de Daniel foi imediata (v. 12). Daniel aplicou o coração para compreender e para se humilhar diante de Deus. Nós temos feito isso? Hoje as pessoas que julgam compreender querem ser grandes. Daniel queria ter luz na mente e joelhos dobrados. Os teólogos deveriam ser os homens de coração mais quebrantado. Daniel é informado que sua oração foi deferida logo que ele começou a orar. Deus tem pressa em responder àqueles que clamam a Ele.

A resposta foi também imediata (v. 12b). Deus não apenas respondeu a oração de Daniel, mas destacou um anjo para trazer a resposta a ele. Os céus se movem para atender a igreja. Os anjos são espíritos ministradores em favor dos que herdam a salvação (Hb 1.14). A resposta à oração de Daniel foi resistida pelo príncipe do reino da Pérsia (v. 13). Deus levanta a cortina e mostra para Daniel que há dois andares no mundo: o físico/material e o espiritual. Muitas vezes, só enxergamos as coisas no plano físico. Mas sobre nossas cabeças desenrola-se outra cena, uma batalha espiritual, no mundo invisível, espiritual. Há guerra espiritual entre os anjos de Deus e os anjos do mal. Enquanto a igreja ora, trava-se uma batalha nas regiões celestes.

Recebe discernimento dos propósitos de Deus na história (Dn 10.14)

Daniel recebeu uma longa revelação a respeito do futuro e contempla o que há de acontecer ao povo de Deus (v. 14). A visão se estende não apenas aos anos imediatamente posteriores; mas até ao fim do mundo. A revelação será detalhada em Daniel 11 e 12. Essa revelação registra fatos que cobrem toda a história. Deus conhece e revela o fim a Daniel. Deus é o Alfa e o Ômega da história.

Daniel também recebe discernimento quanto à batalha espiritual (v.13,20). Edward J. Young entende que a referência ao "príncipe do reino da Pérsia" tem que se relacionar com um ser sobrenatural, já que se trata de uma batalha espiritual.[114] Leupold defende essa mesma tese de uma batalha espiritual.[115] João Calvino, entretanto, advoga a tese de que esse texto não está falando de uma batalha espiritual. Para Calvino, esse príncipe do reino da Pérsia é Cambises.[116]

Nessa batalha há uma terrível hostilidade a ser enfrentada. O anjo fala com Daniel sobre a batalha travada nas regiões celestes. Há resistência espiritual às orações dos santos. Paulo diz que "não é contra carne e sangue que temos que lutar, mas sim contra os principados, contra as potestades, contra os príncipes do mundo destas trevas, contra as hostes espirituais da iniqüidade nas regiões celestes" (Ef 6.12). Muitos acontecimentos na terra são reflexo dos acontecimentos no mundo espiritual.

Mas há também um ajudador celestial (v. 21). Miguel é o arcanjo, defensor do povo de Deus (Dn 12.1). Seu nome é citado cinco vezes na Bíblia (uma vez em Judas, uma vez em Apocalipse e três vezes em Daniel).[117]

Recebe o toque especial do céu (Dn 10.10-19)

Daniel recebe três toques especiais de Deus. Em primeiro lugar, recebe o toque para se levantar (v. 10-14). O anjo do Senhor toca em Daniel. Ele estava prostrado com o rosto em terra e enfraquecido. Deus o levanta por meio de Sua voz e de Seu toque. Mas o que pode levantar esse homem? Saber que é amado no céu (v.11); saber que os céus se movem em resposta a suas orações (v.12); saber que o futuro está nas mãos de Deus (v.14).

Em segundo lugar, recebe o toque para abrir a boca e falar (v.16,17). Daniel é tocado nos lábios como Isaías. Quando é tocado, ele sente dores (como de parto).[118] Ele se sente fraco e desfalecido. Apenas aqueles que se quebrantam diante de Deus têm poder para falar diante dos homens. Daniel está extasiado diante do fulgor da revelação do anjo que o tocou (v. 17). Apenas podem falar com poder aos homens, aqueles que ficam em silêncio diante de Deus.

Em terceiro lugar, recebe o toque para ser fortalecido (v.18-21). O anjo de Deus toca Daniel agora para o fortalecer. O anjo lhe diz: "Não temas" (v. 19). O anjo reafirma que ele é amado no céu (v. 19). O anjo ministra paz àquele que está aturdido por causa do fulgor da revelação. Duplamente o anjo lhe encoraja: "Sê forte, e tem bom ânimo".

Concluindo este capítulo, podemos identificar com mais clareza a natureza dos nossos verdadeiros inimigos, aqueles que se opõem à obra de Deus. Não eram apenas os desencorajadores ou os samaritanos que se opunham à obra, nem mesmo os reis persas que atenderam aos samaritanos, mas, sobretudo, os anjos caídos (v. 13,20).[119] Nossa principal guerra não é contra o desânimo nem contra os homens, mas contra os principados e potestades. O apóstolo Paulo diz que os homens não crêem porque o príncipe deste mundo cega o entendimento dos incrédulos (2Co 4.4).

Esse precioso texto nos ensina, outrossim, sobre as armas apropriadas para vencer esse conflito. Para ter vitória nesse conflito precisamos nos entregar à oração, ao jejum, ao pranto e ao quebrantamento. Precisamos discernimento para entender a luta que se trava no mundo visível e também no invisível. Como Daniel, precisamos entender que há poder de Deus liberado por meio da oração. Precisamos continuar orando, mesmo que a resposta demore a chegar até nós, não obstante, já ter sido deferida no céu.

DANIEL – Um homem amado no céu

NOTAS DO CAPÍTULO 12

[111] Esdras 4.21.

[112] Stuart Olyott. Ouse ser firme. O livro de Daniel, Editora Fiel. São José dos Campos, SP. 1996: p. 147.

[113] Evis Carballosa. Daniel y el reino mesiánico, Publicaciones Portavoz Evangélico. Grand Rapids, Michigan. 1979: p. 228.

[114] Edward J. Young. The Prophecy of Daniel. Eerdmans. Grand Rapids, Michigan. 1949: p. 226,227.

[115] Herbert C. Leupold. Exposition of Daniel. Baker. Grand Rapids, Michigan. 1969: p. 457.

[116] João Calvino. Daniel. Edições Parakletos. São Bernardo do Campo, SP. 2002: p. 299.

[117] Daniel 10.13,21; 12.1; Judas 9; Apocalipse 12.7.

[118] A mesma palavra aparece em 1Samuel 4.19 e Isaías 13.8.

[119] Stuart Olyott. Ouse ser firme. O livro de Daniel, p. 154,155.

Capítulo 13

A soberania de Deus na história

(Daniel 11.1-45)

No capítulo 11 do livro de Daniel o anjo de Deus ainda está falando com ele. Os reinos se levantam e caem segundo o programa de Deus. Deus é soberano, e Ele está dirigindo a história. A Babilônia caiu pela mão de Deus. Stuart Olyott descreve essa verdade assim: "O império babilônico foi derrubado pelo poder de Cristo. Os medos e persas foram Seus instrumentos terrenos, mas a efetiva queda de Babilônia foi um ato divino realizado pelo próprio Filho de Deus".[120] Agora, os reis da Pérsia também cairão. Cairá também o grande rei da Grécia. As lutas internas que se travarão entre os reinos do Norte e do Sul estão profetizadas e nada escapará ao controle divino.

Esse capítulo 11 de Daniel é um verdadeiro retrato do futuro.[121] É a história sendo contada antes dela acontecer. Osvaldo Litz chama esse capítulo de "recortes do futuro".[122] Deus está levantando a ponta do véu e mostrando o futuro para Daniel (v. 2). Deus escreve a história antecipadamente. As coisas acontecem porque Deus as determinou. A história estava escrita desde a eternidade nos livros divinos (Dn 10.21), mas também seria registrada no livro de Daniel bastante tempo antes que acontecesse.

Vejamos dois aspectos: 1) o desdobramento da história; e 2) as lições decorrentes desse desdobramento.

O desdobramento da história sob a soberania de Deus

Esse texto levanta a ponta do véu e revela-nos vários detalhes daquilo que está para acontecer na história. Em primeiro lugar, Daniel fala sobre os quatro reis persas (v. 1,2). Ele fica sabendo que três reis persas sucederão a Dario, o medo, seguidos por um quarto poderoso governante que usará sua grande riqueza para financiar uma guerra completa contra a Grécia. Os três reis referidos são Cambises II (530-522 a.C.), Gautama (522 a.C.) e Dario I (522-486 a.C.). Esse quarto rei é Xerxes (486-465 a.C.), mais rico que seus antecessores (Et 1.4).[123] Usou sua fortuna para formar e manter um imenso exército, com o qual atacou a Grécia.

Em segundo lugar, Daniel fala sobre um rei poderoso da Grécia (v. 3,4). Aqui há uma referência a Alexandre, o Grande. Esse jovem guerreiro e conquistador foi educado aos pés de Aristóteles, o grande pensador grego. Ele ocupou a cobiçada posição de supremacia do poder mundial e tornou-se senhor de um vasto império. Sua

A soberania de Deus na história

conquista além de militar foi cultural.[124] Ele morreu em Babilônia, no apogeu de sua vida, com a idade de 33 anos, sem deixar nenhum herdeiro no trono. Aquele era um tempo de profundas convulsões internas, um tempo de tramas e conspirações. O império só se acalmou quando o reino de Alexandre foi dividido em quatro partes distintas, conforme já visto em Daniel 8.8. Nenhum desses quatro reinos, porém, conheceu o poder ou a glória do império original.[125]

Alexandre conquistou o mundo em dez anos. Morreu aos 33 anos de idade, na Babilônia. Conforme Calvino, afogou-se na própria bebedeira e vaidade.[126] Uma das coisas positivas a seu respeito é que ele tinha uma grande simpatia pelo povo judeu. Depois da construção da cidade de Alexandria, muitos judeus se transferiram para lá e adotaram a cultura helênica. Foi em Alexandria, mais tarde, que foi feita a tradução do Antigo Testamento do hebraico para o grego. Essa versão, chamada Septuaginta, teve profunda importância na história. Ela deve ter sido a Bíblia usada pelos apóstolos.[127]

Ao falar sobre o destino de Israel nessa divisão do império grego, Osvaldo Litz diz:

> Geograficamente a Palestina (Israel) podia ser considerada parte integrante da Síria, já que no sul era separada do Egito pelo deserto. Por vontade de Alexandre, a Palestina fora deixada livre. Devido a sua localização geográfica bastante incômoda entre os dois vizinhos rivais sofria terríveis conseqüências. Era uma presa cobiçada tanto pela Síria como pelo Egito.[128]

Em terceiro lugar, Daniel aponta para vários reis da Síria e do Egito (v. 5-20). O poder alternou várias vezes, ora nas mãos da Síria, ora nas mãos do Egito. Vejamos inicialmente a aliança entre a Síria e o Egito (v. 5,6).

Berenice, a filha do rei do Egito, Ptolomeu Filadelfo, foi dada em casamento ao rei da Síria, Antíoco II, para assegurar a aliança. Mas o casamento não teve o resultado desejado, ou seja, unir os dois reinos. Com a morte do pai de Berenice, Antíoco II voltou para sua ex-mulher, Laodice, e esta envenenou Berenice, o marido Antíoco II e o filho de Berenice, deixando um clima totalmente desfavorável para uma aliança de paz entre os dois reinos.[129]

No reinado de Ptolomeu II os judeus foram cercados de todos os favores e garantias. Ele construiu várias cidades em território palestino com o propósito de ganhar a amizade do povo judeu.[130] Foi nesse período que a Septuaginta foi feita, a versão grega do Antigo Testamento.[131]

A seguir, observemos a derrota da Síria pelo Egito (v. 7-12). O irmão de Berenice, Ptolomeu III, venceu a batalha contra o Norte e matou todos os que assassinaram sua irmã. Também levou todos os tesouros da Síria de volta para sua terra. Por algum tempo houve considerável superioridade dos ptolomeus sobre os selêucidas. Notemos agora a derrota do Egito pela Síria (v. 13-16). Embora o Egito esteja fortificado, ele será destruído. A superioridade do Sul durou pouco. O Norte teve uma decisiva vitória em Sidom (v. 15). Antíoco, o Grande, rei do Norte, parecia invencível. Ninguém era capaz de lhe resistir (v. 16).

Finalmente, vejamos o impasse entre a Síria e o Egito (v. 17-20). O rei da Síria, Antíoco, o Grande, dá sua filha ao rei do Egito em casamento para destruir internamente o reino (v. 17). O rei do Norte, para conquistar o Sul, mudou de tática. Antíoco concluiu que a melhor maneira de vencer o Sul seria por meio do uso de sutileza. Muito convincentemente foi ao Egito e contratou o casamento de sua filha, Cleópatra, com o rei

A soberania de Deus na história

Ptolomeu V que na época tinha apenas 12 anos de idade. O casamento realizou-se cinco anos depois. Pensou que por intermédio desse casamento firmaria seu poder sobre o reino do Sul. O plano falhou miseravelmente, pois Cleópatra não fez o jogo do pai, ficando do lado de seu marido.[132] Assim, a profecia cumpriu-se mais uma vez (v. 17).[133] Antíoco, assim, resolve conquistar outros mundos e é fragorosamente derrotado (v. 18). Foi uma enorme derrota que causou o fim das ambições territoriais de Antíoco (v. 19). Selêuco Filopater, seu sucessor, mandou confiscar os tesouros do templo de Jerusalém. Mas essa ordem nunca foi cumprida. Crê-se que Heliodoro, o emissário responsável por saquear o templo de Jerusalém, advertido por uma visão, desistiu de executar esse ato sacrílego. Crê-se ainda que o próprio Heliodoro o tenha envenenado (v. 20). Assim, cada detalhe profetizado aconteceu integralmente.[134] O povo judeu muito sofreu com essas sucessivas guerras, visto que seu território servia de passagem e, às vezes, também de campo de batalha para os dois exércitos rivais.

Em quarto lugar, Daniel fala sobre um rei sírio perverso (v.21-35). Essa é uma referência a Antíoco IV que chegou ao poder por volta de 175 a.C., aos 40 anos de idade, e reinou onze anos, até sua morte, em 164 a.C. Osvaldo Litz diz que Antíoco Epifânio passou quatorze anos em Roma, em contato com as imoralidades e extravagâncias dos romanos. Ali moldou seu caráter pervertido.[135] Ele deu a si o título de Antíoco Epifânio (ilustre), mas o povo chamava-o Antíoco Epimanes (louco). Podemos destacar vários aspectos aqui. Primeiro, sua astúcia (v. 21-23). Ele protege seu reino com lisonjas e tramas. Era um homem astuto, poderoso, cruel, tolo, ganancioso e imoral. Era

DANIEL – Um homem amado no céu

um homem de paixões violentas. Sua ascensão ao trono deu-se por meio de intriga e adulação (v. 21). Logo entrou em guerra contra os ptolomeus do Egito (v. 22). Ele fez aliança com o Egito para o dominar (v. 23).

Segundo, suas conquistas (v. 24). Ele sitia e captura poderosas fortalezas. Seu reino tornou-se pródigo e imoral. Mas ele ainda ambicionava as fortalezas do Egito.

Terceiro, seus confrontos (v. 25-30). O primeiro confronto de Antíoco Epifânio foi com o Egito (v. 25-27). O rei da Síria derrotou o Egito por causa da traição de alguns desses em suas próprias fileiras. A guerra resultou em um completo massacre dos egípcios, cumprindo, assim, a profecia (v. 26). Os dois reis se reuniram para um acordo, mas não havia sinceridade em nenhum deles, pois ainda o tempo não havia chegado para cessar a guerra (v. 27).

Também Daniel fala de seu confronto com Israel (v. 28-30). Antíoco retornou ao seu país, rico, ímpio e aparentemente invencível (v. 28). Contudo, em 168 a.C., preparou outra campanha contra o Egito, mas dessa vez não logrou êxito (v. 29). Os romanos resistiram a ele (v. 30). Assim, ele partiu com raiva para a Palestina e seduziu os judeus apóstatas para se aliar a ele (v. 30).

Quarto, sua crueldade (v. 31-35). Antíoco Epifânio possuía um ódio infernal por Israel. Ele profanou o templo e fez cessar os sacrifícios diários (v. 31). Ele levantou um altar pagão no templo e mandou sacrificar um porco no altar e borrifar o sangue no templo. Ele seduziu os judeus apóstatas (v. 31b,32). Contudo, aqueles que conheciam a Deus eram fortes e ativos (v. 32) e não cederam nem à sedução nem à violência. Homens com percepção espiritual circulavam entre

A soberania de Deus na história

o povo ensinando as Escrituras (v. 33). Continuaram pregando, mesmo sob perseguição e morte (v. 33-35). Muitos desses sábios morreram, mas aqueles que sobreviveram permaneceram puros até o fim.

Um grupo de judeus, liderados pelo sacerdote Matatias, resistiu às ordens sacrílegas de Antíoco Epifânio e começou uma guerra de resistência, chamada a guerra dos macabeus. Evis Carballosa registra esse fato assim:

> O terrível ataque de Antíoco Epifânio não enfraqueceu o espírito dos judeus fiéis. Ao contrário, a perseguição fez com que muitos se unissem para dar começo ao que se conhece como a guerra dos macabeus. O líder do movimento contra Antíoco foi um ancião sacerdote chamado Matatias. O fiel sacerdote não só se recusou a obedecer a ordem de oferecer sacrifícios a um deus pagão, mas também matou o emissário real e destruiu o altar pagão. Seguidamente, Matatias e seus filhos João, Simão, Judas, Eleazar e Jônatas organizavam uma guerra de guerrilhas que começou a causar sérios estragos entre as forças de Antíoco.
>
> No ano 166 a.C., só uns meses depois de começada a guerra, Matatias morreu e um de seus filhos, Judas, sucedeu-o como líder do movimento. Antíoco pensava que seu exército destruiria a rebelião em curto espaço de tempo, mas equivocou-se. O exército sírio sofreu derrota após derrota. Em dezembro do ano 164 a. X C., o exército dos macabeus marchou triunfante pelas ruas de Jerusalém. Em 25 de dezembro desse ano, o templo foi purificado e restaurado o culto a Yahveh.[136]

Em quinto lugar, Daniel fala sobre um rei satânico, o anticristo (v. 36-45). Esses versículos deixam de descrever o protótipo para descrever o reinado assustador do anticristo vindouro. Tanto amilenistas como pré-milenistas preferem interpretar Daniel 11.36-45 como uma profecia tocante ao anticristo escatológico.[137] Edward J. Young

DANIEL – Um homem amado no céu

diz que a interpretação que identifica o personagem de Daniel 11.36-45 com o anticristo pode ser vista como a interpretação tradicional da igreja cristã.[138] O anticristo revelará sua consumada perversidade (v. 36-39) por meio de seu atrevimento (v. 36,37). Ele blasfemará de Deus de forma inimaginável e jamais ouvida antes.[139] O único deus que o anticristo adora é a força dele mesmo. Ele adora a si mesmo. Ele adorará seu poder (v. 38,39).

O anticristo perseguirá o povo de Deus de forma brutal e sanguinária (v. 40-44). Ele varrerá vários países como uma enchente. Nenhum lugar de todo o mundo escapará de sua fúria. O anticristo será, finalmente, derrotado fragorosamente (v. 45). O contexto sugere que o próprio Deus destruirá completamente o anticristo. Isso está de acordo com Daniel 7.26; 2Tessalonicenses 2.8. Osvaldo Litz acertadamente comenta o que segue:

> Todas as potências do mundo, as passadas, as presentes e as futuras, e também o anticristo, com todo seu formidável poder, não são grandezas independentes de Deus e auto-suficientes em si mesmas. São apenas instrumentos nas mãos do Senhor. Depois de cumprirem o que "está determinado" (v. 36), serão despojadas de todo seu poder, julgadas e postas de lado.[140]

As lições decorrentes da soberania de Deus na história

Stuart Olyott aponta várias lições decorrentes do estudo deste precioso texto[141]: a primeira é que a Palavra de Deus é absolutamente confiável. O livro de Daniel foi escrito no século 6 a.C. Ele conta a história minuciosamente antes dela acontecer. Isso prova que a Palavra de Deus é infalível, inerrante e sobrenatural. A Palavra de Deus não apenas contém a verdade, ela é a verdade infalível e inerrante.

A soberania de Deus na história

Assim como ela é confiável nos relatos históricos, também o é em sua revelação acerca de Deus, do homem e da salvação, também como da consumação dos séculos. É loucura consumada ignorar, negligenciar ou descrer desse livro. A segunda lição é que Deus é o Senhor soberano da história. Como poderia o Senhor ter dado a Daniel uma detalhada visão do futuro, se esse estivesse fora de seu controle? Tudo aconteceu como Deus disse. Ele é quem levanta reis e abate reis. Ele levanta reinos e abate reinos. Tudo acontece como Deus disse. O que fora profetizado se cumpriu. Tudo o que ocorre na história, ocorre porque está escrito no livro de Deus. Tudo que acontece confirma os decretos de Deus. Todas as coisas se movem em direção ao triunfo final de nosso Senhor Jesus Cristo e ao castigo final e eterno dos ímpios. Osvaldo Litz interpreta corretamente quando diz:

> O real valor da profecia não está na predição, mas em nos mostrar tudo acontecendo sob a onipotência de Deus, para que à luz da profecia achemos o caminho certo em meio às tentações e aos perigos e estejamos consolados em tudo. Pois para os discípulos de Jesus sobre todos os acontecimentos do tempo do fim estão também as palavras de Jesus: 'Levantai as vossas cabeças, porque a vossa redenção se aproxima.[142]

A terceira lição é que Deus continua Deus, ainda que não O vejamos em parte alguma. Vimos o anjo anunciar o futuro a Daniel. Nesse relato não há qualquer menção à pessoa de Deus. Há um verdadeiro catálogo de guerras, alianças, casamentos, traições e uma quantidade estonteante de reis que surgem e desaparecem. O homem ocupa todo o cenário. Freqüentemente, temos a impressão de que os acontecimentos são controlados pelo homem

DANIEL – Um homem amado no céu

mais forte de sua respectiva época. Deus não é mencionado em parte alguma. Aparentemente, é como se a história nada tivesse a ver com Ele. Mas, mesmo nesse tempo, Deus continua o Senhor da história. Esse fato continua sendo verdade, ainda que pareça não existir evidência de que Deus está trabalhando. A atenção do mundo estava voltada para os medos e persas, para os gregos ou para os reinos dos ptolomeus e selêucidas. Nesse tempo, o povo de Deus parecia apagado. Tinha, sim, muita tribulação e perplexidade. Mas nesse tempo, Deus continua o Senhor de toda a história. Mesmo quando não pode ser visto, Ele está governando os assuntos do mundo e também os destinos do Seu povo. Deus continua Deus ainda que não vejamos em parte alguma.

A quarta lição é que o tempo do fim será de grande angústia para o povo de Deus. O Dia não virá sem que antes venha a grande apostasia e se manifeste o homem da iniqüidade (2Ts 2.3,4). Os homens perversos se tornarão ainda piores (2Tm 3.13). Por isso, precisamos nos acautelar sobre a frivolidade e a superficialidade tão características do cristianismo contemporâneo. Os dias pela frente serão dias difíceis. Haverá mártires novamente. Ninguém deve abraçar a vida cristã sem calcular o custo de ser discípulo de Cristo. Estaremos mais bem preparados para enfrentar os últimos dias se entendermos que a história está nas mãos de Deus. Os versículos 27,29 e 35 utilizam a expressão "no tempo determinado em relação ao que acontecerá.". Quando toda a história parece estar fora de controle, Deus ainda tem as rédeas em Suas mãos. Se isso não fosse verdade, Ele não seria Deus! Visto que Deus governa a história, podemos estar certos não apenas do aparecimento do anticristo, mas também de seu aniquilamento.

A soberania de Deus na história

A quinta lição é que nenhuma perseguição pode impedir a comunhão de seu povo com Deus nem paralisar seu trabalho para Deus. Opressores cruéis podem acabar com todas as manifestações públicas de culto, proibir todas as reuniões cristãs e despojar-nos de nossas Bíblias e livros cristãos. Podem tornar ilegal todo serviço cristão, eliminar todas as nossas liberdades, queimar nossos templos, ameaçar-nos com penalidades cruéis e não permitir qualquer comunhão entre o povo de Deus. Contudo, não podem impedir nossa comunhão com Deus nem nosso serviço para Deus (Dn 11.32,33). O imperador Domiciano exilou o apóstolo João na ilha de Patmos, arrancando-o do convívio de sua igreja. Os reis da terra podem nos afastar de nossos familiares, podem nos lançar no exílio, nas prisões e até nos matar, mas não podem impedir-nos de ver as portas do céu se abrirem para nós. Domiciano fechou as portas da terra para João, lançando-o numa ilha solitária, mas Deus abriu-lhe a porta do céu e revelou que a vitória pertence ao Senhor e ao Seu povo.

A sexta lição é que temos a garantia de que no final o mal será fragorosamente derrotado. Antíoco Epifânio ameaçou varrer da terra a fé no Deus vivo. Sua campanha de extermínio parecia ter sucesso garantido, mas não teve. Ele não aniquilou a fé verdadeira. O altar do templo do Senhor foi novamente levantado. Ele morreu em seu leito em meio a indescritíveis horrores. Deus soprou sobre ele, e ele desapareceu. O mesmo tem acontecido com todos os anticristos que se levantam contra a causa de Deus e contra Seu povo. A igreja de Deus ressurge das cinzas e avança vencedora. O mesmo acontecerá com o anticristo escatológico. Ele vai parecer imbatível. Será adorado em

DANIEL – Um homem amado no céu

toda a terra. Mas, repentinamente, Cristo descerá do céu e o destruirá pela manifestação de sua vinda, com o sopro de sua boca.

Notas do capítulo 13

[120] Stuart Olyott. Ouse ser firme. O livro de Daniel, Editora Fiel. São José dos Campos, SP. 1996: p. 157.

[121] Stuart Olyott. Ouse ser firme. O livro de Daniel, p. 157.

[122] Osvaldo Litz. A estátua de pedra, JUERP. Rio de Janeiro, RJ. 1985: p. 140.

[123] Evis Carballosa. Daniel y el reino mesiánico, Publicaciones Portavoz Evangélico. Grand Rapids, Michigan. 1979: p. 237

[124] Evis Carballosa. Daniel y el reino mesiánico, p. 238.

[125] Stuart Olyott. Ouse ser firme. O livro de Daniel, p. 159.

[126] João Calvino. Daniel. Parakletos Editora. São Bernardo do Campo, SP. 2002.

[127] Evis Carballosa. Daniel y el reino mesiánico, p. 239.

[128] Osvaldo Litz. A estátua e a pedra, p. 141.

[129] Stuart Olyott. Ouse ser firme. O livro de Daniel, p. 159.

[130] Roland Kenneth Harrison. Introduction to the Old Testament. Eerdmans. Grand Rapids, Michigan. 1973: p. 1176.

[131] Antonio Neves de Mesquita. Estudo no Livro de Daniel. JUERP. Rio de Janeiro, RJ. 1978: p. 82,83.

[132] Ovaldo Litz. A estátua e a pedra, p. 141,142.

[133] Stuart Olyott. Ouse ser firme. O livro de Daniel, p. 162.

[134] Stuart Olyott. Ouse ser firme. O livro de Daniel, p. 162,163.

[135] Osvaldo Litz. A estatua e a pedra, p. 142.

[136] Evis Carballosa. Daniel y el reino mesiánico, p. 251,252.

[137] Evis Carballosa. Daniel y el reino mesiánico, p. 256.

[138] Edward J. Young. The Prophecy of Daniel. Eerdmans, Grand Rapids, Michigan. 1949: p. 43.

[139] Veja ainda Daniel 7.25 e 2 Tessalonicenses 2.4.

[140] Osvaldo Litz. A estátua e a pedra, p. 143.

[141] Stuart Olyott. Ouse ser firme. O livro de Daniel, p. 163-168.

[142] Osvaldo Litz. A estátua de pedra, p. 146.

Capítulo 14

Uma descrição do fim do mundo

(Daniel 12.1-13)

O CAPÍTULO 12 de Daniel é uma seqüência cronológica do capítulo 11. O anjo ainda está revelando a Daniel uma brilhante descrição do tempo do fim. Deus levanta a ponta do véu e revela o fim da história com nuanças gloriosas. As cortinas se fecham e o fim desse drama é a vitória gloriosa do povo de Deus.

Vários eventos são descritos nesse capítulo 12. Eles são como balizas que nos direcionam no entendimento do fim da história.

De acordo com o sermão profético do Senhor Jesus,[143] o fim do mundo pode ser compreendido por meio do cumprimento de vários sinais: engano religioso, guerras, terremotos, pestilências, apostasia, perseguição, esfriamento do amor, a

DANIEL – Um homem amado no céu

pregação do evangelho em todo o mundo e o aparecimento do anticristo. Esses sinais proclamam fortemente que estamos vivendo uma espécie de afunilamento da história. Especialmente, no século 20 e no começo deste século assistimos a uma grande intensificação desses sinais. Recentemente, o mundo ficou chocado com o *tsunami*, as ondas gigantes que invadiram o sul da Ásia, no dia 26 de dezembro de 2004, varrendo do mapa várias vilas e provocando a morte de aproximadamente duzentas mil pessoas.

Vejamos, agora, alguns pontos importantes da descrição que Daniel faz desse tempo do fim:

Fatos marcantes do tempo do fim

Destacaremos sete fatos marcantes nesse momento. Em primeiro lugar, vejamos uma descrição da grande tribulação (v. 1). O tempo da grande tribulação é claramente identificado: *naquele tempo* é uma descrição do período de ascensão e queda do anticristo, o arquiinimigo de Cristo e de Sua igreja. Ele se levantará na força de Satanás.[144] Ele se oporá a Cristo, querendo, ao mesmo tempo, ser adorado em lugar de Cristo (2Ts 2.3,4). O anticristo vai blasfemar contra Deus e magoar os santos do Altíssimo (Dn 7.25; 11.45). Ele será adorado em todo o mundo por todos aqueles que não têm o selo de Deus (Ap 13.8). Ele perseguirá e matará muitos cristãos (Ap 13.7).

A singularidade da grande tribulação também é destacada. Esse tempo será *a grande* tribulação (v. 1). Será um tempo de angústia sem precedentes na história. Esse tempo é descrito como o pouco tempo de Satanás,[145] a grande apostasia,[146] o aparecimento do homem do

Uma descrição do fim do mundo

pecado[147] e a grande tribulação[148]. Daniel vê não apenas a perseguição do anticristo, mas também seu fim, sua derrota (Dn 11.45).[149] Os dias mais tenebrosos da história estão pela frente. Acautelemo-nos! Antes do fim glorioso, angústia e perplexidade virão sobre as nações.[150]

Em segundo lugar, vejamos uma descrição do grande livramento do povo de Deus (v.1). Mesmo nesse tempo angustioso, Deus está no controle da história. Seus anjos trabalham em favor da igreja. O arcanjo Miguel será o defensor do povo de Deus. Os anjos trabalham em favor da igreja.[151] A vitória e o livramento da igreja dar-se-ão na segunda vinda de Cristo, e Ele virá quando se ouvir a voz do arcanjo. Os anjos tirarão os escolhidos de Deus do meio da grande tribulação (Mt 24.29-31). O povo de Deus não será poupado da grande tribulação, mas na grande tribulação (Dn 12.1). No tempo da maior e mais intensa perseguição contra a igreja é que o Senhor a libertará e a levará salva para Seu reino celestial (2Ts 1.6-10).

Em terceiro lugar, vejamos uma descrição da salvação pela graça (v.1). Há uma clara distinção entre os salvos e os perdidos. Os salvos têm seus nomes escritos no livro da vida. Ronald Wallace diz que a lição que mais se ressalta no livro de Daniel é que nenhum dos eleitos se perderá. Seus nomes estão escritos no livro da vida.[152] Isso, não por méritos ou obras. Pelas obras ninguém poderá ser salvo.[153] Mas aqueles que foram amados por Deus, selados por Deus, cujos nomes estão no livro de Deus, esses serão salvos.[154] Jesus fez referência a esse livro da vida: "Contudo, não vos alegreis porque se vos submetem os espíritos; alegrai-vos antes por estarem os vossos nomes escritos nos céus" (Lc 10.20). O apóstolo João se referiu a esse mesmo livro, quando escreveu sobre o julgamento final: "E todo aquele que não foi achado inscrito no livro da vida, foi lançado no lago de fogo" (Ap 20.15). Há um livro com os nomes das pessoas nele. São os nomes daqueles a quem Deus amou eternamente e por quem deu Seu Filho. São as ovelhas por quem Cristo morreu, aqueles que Seu Espírito chamou para crer e ser salvos. Esse é o povo que desfrutará desse glorioso livramento.

Naquele dia, nada vai nos importar a não ser o fato de termos o nome no livro da vida. Não daremos mais importância à nossa reputação ou realizações. Nossas posses não terão valor. Somente nossa aceitação por Deus nos importará. O dia da derrota do anticristo será o dia da vitória triunfal da igreja de Deus.

Em quarto lugar, vejamos uma descrição da ressurreição geral dos salvos e perdidos (v.2). Há quatro pontos dignos de nota: primeiro, o fato da ressurreição. O último dia será o dia da ressurreição. Os filhos de Deus não serão poupados da morte física, mas o livramento do poder da morte é uma certeza. Daniel fala de uma ressurreição corpórea. Ele não fala no sono da alma. É o corpo, e não a alma, que dorme no pó da terra.

Segundo, o tempo da ressurreição. A ressurreição se dará no tempo do fim, na segunda vinda de Cristo, na consumação dos séculos (Dn 12.2; Jo 5.28,29; 1 Co 15.51,52; Ap 20.12,13). Até mesmo aqueles que o transpassaram verão a Jesus em Sua vinda.

Terceiro, os sujeitos da ressurreição. A expressão *muitos* deve ser entendida aqui por *todos*. É uma maneira hebraica de chamar a atenção para a grandeza dos números envolvidos.[155] Embora todos ressuscitem, nem todos têm o mesmo destino. Daniel fala da ressurreição geral que se

Uma descrição do fim do mundo

dará na segunda vinda de Cristo para o grande julgamento (João 5.28,29; Ap 20.11-13; 1Co 15.51,52; Dn 12.2). Quarto, os resultados da ressurreição. Daniel proclama duas realidades após a morte: a bem-aventurança eterna e as penalidades eternas. Daniel declara que após a morte não há nenhuma possibilidade de mudança do destino eterno (Hb 9.27). Uns ressuscitarão para a vida eterna e outros para vergonha e horror eternos.

Quinto, vejamos uma descrição das recompensas dos salvos (v.3). Daniel fala de dois grupos: os sábios e os que a muitos conduzirem à justiça. Ambos os grupos falam daqueles que resistirão à sedução ou à perseguição do sistema do mundo ou mesmo do anticristo nas mais diversas fases da história. Falam também daqueles que em meio à tribulação pregam a Palavra e anunciam a salvação em Cristo (Dn 11.33; Tg 5.19,20). Esses sábios são aqueles que quando o inferno agir livremente, não desistirão. Eles entendem que o sofrimento do tempo presente não poderá ser comparado com a glória com que se deleitarão eternamente.

Esse galardão é descrito em termos de brilho, de fulgor. Porque brilharam em tempo de escuridão, brilharão eternamente. Receberemos um corpo semelhante ao corpo da glória de Cristo. Vamos brilhar como os astros ou como as estrelas. O brilho das estrelas pode apagar-se, mas os salvos brilharão eternamente. Concordamos com o hino: "metade da glória celeste, jamais se contou ao mortal".

Sexto, vejamos uma descrição da credibilidade da palavra profética (v.4). O profeta Daniel recebe o mandamento de "cerrar" e "selar" o livro. A palavra _cerrar_ contém a idéia de "preservar", enquanto a palavra _selar_ se relaciona com o conceito de "autenticar ou assegurar".[156]

Assim, a expressão não significa que as coisas reveladas a Daniel deviam permanecer em segredo. O costume persa era que, uma vez copiado um livro e trazido a público, selava-se uma cópia e colocava-se na biblioteca.[157] Assim, as futuras gerações poderiam lê-lo. Dessa forma, na antigüidade, quando se mandava selar um livro, isso significava que o livro estava completo e recebia o selo de sua integridade, utilidade e proveito para o povo. Depois, uma cópia era disponibilizada para a biblioteca e estava disponível para ser examinada pelos estudiosos. O último ato profético de Daniel foi assegurar-se de que as profecias que lhe haviam sido reveladas se tornassem conhecidas não apenas de sua geração, mas das gerações vindouras. Eis a razão porque muitos o esquadrinharão.

A palavra profética não é uma mensagem fechada, hermética, impenetrável. Ao contrário, muitos a esquadrinharão. O livro de Daniel é uma espécie de farol na história da humanidade. Ele escreveu sobre o futuro, contou-nos a história antes dela acontecer. O livro de Daniel nos mostra que Deus é quem está com as rédeas da história nas mãos. Ele a conduz ao seu fim glorioso.

Sétimo, vejamos uma descrição do avanço do conhecimento no tempo do fim (v.4). A profecia de Daniel está em pleno cumprimento. Vivemos esse tempo da multiplicação do saber. As profecias estão se cumprindo. O fim está mais próximo do que podemos imaginar. O saber hoje se multiplica espantosamente. Vivemos hoje o tempo do milagre científico. A ficção virou história. Vivemos no mundo cibernético. A terra tornou-se apenas uma aldeia. Somos cidadãos planetários. O futuro chegou. Vivemos nele.

Em 1822, para D. Leopoldina enviar uma mensagem a D. Pedro I, do Rio de Janeiro para São Paulo, precisou um cavalo de corrida. Isaac Newton disse que chegaria o dia em que o homem correria à estrondosa velocidade de 60 km por hora. Voltaire disse que ele estava delirando. Hoje o homem vai à lua e faz viagens interplanetárias. O avanço científico parece milagroso hoje. As profecias estão se cumprindo. Precisamos nos preparar porque o tempo de nossa redenção se aproxima.

Quando se dará o tempo do fim

Uma pergunta solene sobre o tempo do fim é feita (v.5-7). A pergunta é feita por um anjo ao anjo do Senhor. A pergunta se refere a *tempo*. "Quanto tempo haverá até o fim destas maravilhas?" (v.6). A resposta é dada com solene juramento, levantando as duas mãos ao Deus do céu (v. 7).

A expressão *"um tempo, dois tempos, e metade de um tempo"* não deve ser interpretada como três anos e meio. João Calvino entende que isso fala de um longo tempo, porém determinado por Deus.[158] O controle continua nas mãos de Deus, mesmo quando Sua igreja é perseguida. Esse tempo abarca todo o período da igreja, muito embora enfoque precisamente o tempo da grande tribulação, período que se não fosse abreviado ninguém seria salvo (Mt 24.21).

O anticristo será abatido no auge de seu poder e a igreja resgatada no auge de sua aflição: "[...] *e quando tiverem acabado de despedaçar o poder do povo santo, cumprir-se-ão todas estas coisas"* (Dn 12.7b). O mal será destruído não quando estiver em baixa, mas em seu auge.[159]

DANIEL – Um homem amado no céu

Agora é feita uma outra pergunta sobre os estágios finais do tempo do fim (v.8-13). Daniel recebe a revelação, mas não a entende (v. 8). Assim, pergunta sobre os estágios finais desse tempo do fim, ou seja, que evidências teremos de que estes dias estão chegando à sua consumação. A resposta a Daniel é que essas palavras estão encerradas e seladas até ao tempo do fim (v. 9). Em outras palavras, o que foi revelado terá seu cumprimento no tempo do fim. A profecia não nos foi dada a fim de satisfazer nossa curiosidade, mas para nos trazer à fé e nos sustentar nessa fé. O objetivo da profecia não é alimentar nossa curiosidade escatológica, mas nos preparar para entender que Deus é soberano e está no controle da história.

Quatro fatos são dignos de nota nesse tempo do fim: em primeiro lugar, a perseguição em vez de destruir a igreja a purifica (v.10). O mundo, o diabo e seus agentes quererão destruir a igreja, mas longe de destruí-la, a perseguição purificará e embranquecerá. A igreja de Cristo sempre se fortaleceu em tempos de perseguição. A perseguição do tempo do fim será sem paralelos na história, mas nesse tempo em vez da igreja ser destruída, será arrebatada para encontrar seu Senhor nos ares (Mc 13.19,20).

Em segundo lugar, a perseguição não tirará o discernimento da igreja (v.10). Os perversos procederão perversamente e não terão entendimento, mas a igreja de Deus receberá discernimento e compreensão. A profecia é uma fonte de consolo para o povo de Deus. O Senhor está no trono e conduz Seu povo à vitória triunfal.

Em terceiro lugar, a perseguição não tirará a paciência triunfadora da igreja (v. 11,12). Daniel fala de *um tempo, dois tempos e metade de um tempo* (v. 7), *1.290 dias* (v.

11) e *1.335 dias* (v. 12). Esses números são enigmáticos. Os estudiosos confessam que não entendem o significado desses dias. Não importa. Na verdade o que a profecia quer nos dizer é que a igreja está nas mãos de Deus, e ela deve ter paciência para aguardar o tempo de Deus. A mensagem é: mantenham-se firmes, não desistam. Feliz daquele que sabe esperar ainda que as datas não sejam aquelas de sua expectativa.[160] O que esse texto quer dizer é que *somente o tempo revelará os tempos.* Quando a igreja entrar no período de sua pior e última perseguição, esses dias não durarão para sempre. No auge da perseguição, a perseguição cessará. A igreja jamais entrará num túnel sem fim. O final já está decretado: a vitória de Cristo e de Sua igreja.

Outros exegetas como Walvoord e Wood sugerem que a diferença de tempo entre 1.260, 1.290 e 1.335 dias se relaciona com os eventos que se seguirão à segunda vinda de Cristo. De acordo com esses expositores, os 1.260 dias se referem à duração da grande tribulação que culminará com a vinda em glória de Jesus Cristo. Os trinta dias seguintes (1.260 a 1.290 dias) se relacionam com a duração dos juízos mencionados em Mateus 25.31-46. Os 45 dias que restam (1.290 a 1.335 dias) têm a ver com o tempo que transcorre entre o término desses juízos e o começo do reino messiânico.[161] Esses mesmos exegetas, entretanto, não fecham questão sobre o significado desses tempos. Nossa compreensão é que essa interpretação de Walvoord e Wood carece de fundamentação hermenêutica e teológica.

Em quarto lugar, a perseguição não roubará a recompensa da igreja (v. 13). O mensageiro de Deus diz a Daniel: prossiga em sua vida espiritual até o fim. Jesus

DANIEL – Um homem amado no céu

prometeu: "Sê fiel até a morte, e dar-te-ei a coroa da vida" (Ap 2.10). Mantenha-se firme, pois no final há duas coisas preciosas: primeiro, você descansará; segundo, você se levantará para receber sua herança. Há um descanso e uma herança imaculada para o povo de Deus. A nossa leve e momentânea tribulação produz para nós eterno peso de glória acima de toda comparação. O céu é lugar de recompensa. Lá nossas lágrimas serão enxugadas. Lá não haverá mais dor. Lá estaremos juntos para sempre e reinaremos com Cristo pelos séculos dos séculos. Nenhum dos eleitos de Deus se perderá. Mesmo que a morte nos faça tombar aqui, nos levantaremos do pó para brilhar como as estrelas, sempre e eternamente.

NOTAS DO CAPÍTULO 14

[143] Mateus 24.3-31; Lucas 21.5-28.

[144] Apocalipse 13.2-4.

[145] Apocalipse 20.3.

[146] 2Tessalonicenses 2.3.

[147] 2Tessalonicenses 2.3.

[148] Mateus 24.21.

[149] Veja ainda 2 Tessalonicenses 2.8; Apocalipse 19.20; 20.10.

[150] Lucas 21.25-28.

[151] Hebreus 1.14; Salmos 103.20.

[152] Ronald Wallace. A mensagem de Daniel, ABU Editora. São Paulo, SP. 1979: p. 208.

[153] Romanos 3.21-28; Efésios 2.8,9.

[154] Apocalipse 20.15.

[155] Stuart Olyott. Ouse ser firme. O livro de Daniel, Editora Fiel. São José dos Campos, SP. 1996: p. 183.

[156] Evis Carballosa. Daniel y el reino mesiánico, Publicaciones Portavoz Evangélico. Grand Rapids, Michigan. 1979: p. 277.

[157] Stuart Olyott. Ouse ser firme. O livro de Daniel, p. 184.

[158] João Calvino. Daniel. Editora Parakletos. São Bernardo do Campo, SP. 2002.

[159] Stuart Olyott. Ouse ser firme. O livro de Daniel, p. 187.

[160] Stuart Olyott. Ouse ser firme. O livro de Daniel, p. 188,189.

[161] John F. Walvoord. Daniel, The Key to Prophetic Revelation. Moody: Chicago. 1971: p. 294-297 e Leon Wood. A Commentary on Daniel. Zondervan. Grand Rapids, Michigan. 1973: p. 237-239.

Conclusão

PARA ONDE CAMINHA A HISTÓRIA? Qual será seu fim? Quando as cortinas do tempo se fecharem onde estaremos? Que sentimento deve dominar nosso espírito: pavor ou esperança? Para onde caminhamos: para o nada, para o caos ou para a glória? O livro de Daniel tem respostas claras para essas perguntas. A história não é como um trem descarrilado prestes a cair no abismo. Ela não está desgovernada e sem freios. Não caminhamos para o caos, mas para o *telos* de Deus, para um fim glorioso, para a vitória retumbante, final e definitiva de Cristo e de Sua igreja.

O destino do mundo não está nas mãos dos reinos deste mundo, nem nas mãos dos reis e presidentes das nações poderosas da terra. Deus está no trono, e Ele governa sobre tudo e sobre todos, ainda que as evidências não pareçam, muitas vezes, confirmar isso. Até mesmo os ímpios estão sob a autoridade e soberania de Deus. Os impérios se levantam e caem de acordo com os propósitos soberanos de Deus. Nada escapa ao Seu controle. Em última instância, o anticristo e até mesmo Satanás estão rigorosamente debaixo da autoridade suprema do Deus Todo-Poderoso. Eles só podem agir no tempo de Deus, de acordo com Sua permissão. Eles são inimigos limitados quanto ao tempo, espaço e poder. O fim deles já está decretado. Serão lançados no lago de fogo, enquanto a igreja de Cristo será glorificada e levada para o paraíso, onde reinará com Cristo eternamente.

De que lado você está? A quem você serve? De quem é o seu coração? Onde está o seu tesouro? Aqueles que puseram seu coração neste mundo e entesouraram apenas para esta vida, perderão tudo e ainda sofrerão eternamente os horrores do inferno. Mas aqueles que, mesmo em meio de tribulação, permaneceram fiéis a Deus, entrarão no gozo do Senhor e desfrutarão de eterna bem-aventurança.

Mas será possível ser fiel a Deus num mundo de tanta idolatria, satanismo, incredulidade, indiferença, corrupção, violência, maldade e impureza? Sim! Daniel foi arrancado de sua cidade, levado para a Babilônia, o centro mundial da astrologia e feitiçaria. Foi tentado, acusado injustamente e perseguido, mas jamais retrocedeu em sua fidelidade a Deus. Mesmo quando subiu ao pináculo das mais altas honras permaneceu com seu coração firme e fiel. Ele triunfou, venceu e foi um homem amado no céu e honrado na terra.

Você quer ser um novo Daniel? Você pode!

Sua opinião é importante para nós.
Por gentileza, envie-nos seus comentários pelo e-mail:

editorial@hagnos.com.br

Visite nosso site:

www.hagnos.com.br